O PAI-NOSSO E OS CHAKRAS

Celina Fioravanti

O PAI-NOSSO E OS CHAKRAS

COMO ATIVAR OS CENTROS DE ENERGIA ATRAVÉS DA PRECE

Editora
Pensamento
SÃO PAULO

Copyright © 2000 Celina Fioravanti.
Copyright da edição brasileira © 2009 Editora Pensamento-Cultrix Ltda.
1ª edição 2009.
9ª reimpressão 2023.
Todos os direitos reservados. Nenhuma parte deste livro pode ser reproduzida ou usada de qualquer forma ou por qualquer meio, eletrônico ou mecânico, inclusive fotocópias, gravações ou sistema de armazenamento em banco de dados, sem permissão por escrito, exceto nos casos de trechos curtos citados em resenhas críticas ou artigos de revistas.

A Editora Pensamento não se responsabiliza por eventuais mudanças ocorridas nos endereços convencionais ou eletrônicos citados neste livro.

Este livro não poderá ser exportado para Portugal.

Dados Internacionais de Catalogação na Publicação (CIP)
(Câmara Brasileira do Livro, SP, Brasil)

Fioravanti, Celina
O Pai-Nosso e os Chakras : como ativar os centros de energia através da prece / Celina Fioravanti. -- São Paulo : Pensamento, 2009.
Bibliografia ISBN 978-85-315-1602-3
1. Chakras 2. Energia vital 3. Oração 4. Pai-Nosso I. Título.
09-09959   CDD-131

Índices para catálogo sistemático:
1. Chakras : Energia vital através da prece : Esoterismo 131

Direitos reservados para o Brasil
EDITORA PENSAMENTO-CULTRIX LTDA.
Rua Dr. Mário Vicente, 368 — 04270-000 — São Paulo, SP
Fone: (11) 2066-9000
E-mail: atendimento@editorapensamento.com.br
http://www.editorapensamento.com.br
Foi feito o depósito legal.

Este livro é dedicado
às minhas amigas de Portugal

Sumário

OS CHAKRAS	11
PAI NOSSO QUE ESTAIS NOS CÉUS,	
SANTIFICADO SEJA O VOSSO NOME	21
O sétimo chakra	21
A glândula pineal	22
As funções do sétimo chakra	23
Avaliação do sétimo chakra	25
Roteiros para tratamento do sétimo chakra	28
Meditação para o sétimo chakra	34
Experiências que expandem o sétimo chakra	34
VENHA A NÓS O VOSSO REINO	35
O primeiro chakra	35
As glândulas suprarrenais	37
As funções do primeiro chakra	38
Avaliação do primeiro chakra	40
Roteiros para tratamento do primeiro chakra	43
Meditação para o primeiro chakra	49
Experiências que expandem o primeiro chakra	50
SEJA FEITA A VOSSA VONTADE,	
ASSIM NA TERRA COMO NO CÉU	51
O segundo chakra	51

As gônadas 52
As funções do segundo chakra 54
Avaliação do segundo chakra 56
Roteiros para tratamento do segundo chakra 59
Meditação para o segundo chakra 65
Experiências que expandem o segundo chakra .. 66

O PÃO NOSSO DE CADA DIA NOS DAI HOJE 67
O terceiro chakra 67
O pâncreas e o baço 69
As funções do terceiro chakra 70
Avaliação do terceiro chakra 72
Roteiros para tratamento do terceiro chakra 74
Meditação para o terceiro chakra 80
Experiências que expandem o terceiro chakra .. 81

PERDOAI-NOS AS NOSSAS OFENSAS, ASSIM COMO
NÓS PERDOAMOS A QUEM NOS TEM OFENDIDO 83
O quarto chakra 83
A glândula timo 85
As funções do quarto chakra 86
Avaliação do quarto chakra 89
Roteiros para tratamento do quarto chakra 91
Meditação para o quarto chakra 98
Experiências que expandem o quarto chakra ... 98

E NÃO NOS DEIXEIS CAIR EM TENTAÇÃO 99
O quinto chakra 99
A tireoide e as paratireoides 101
As funções do quinto chakra 103
Avaliação do quinto chakra 105
Roteiros para tratamento do quinto chakra 108

Meditação para o quinto chakra 113
Experiências que expandem o quinto chakra 114

MAS LIVRAI-NOS DO MAL 115
O sexto chakra 115
A glândula pituitária ou hipófise 116
As funções do sexto chakra 119
Avaliação do sexto chakra 120
Roteiros para tratamento do sexto chakra 123
Meditação para o sexto chakra 129
Experiências que expandem o sexto chakra 129

COMO ALINHAR OS CHAKRAS COM O PAI-NOSSO .. 131
Alinhamento dos chakras:
    quando o faz para si mesmo 132
    quando o faz para outra pessoa 135

ANEXO I: DESENHOS 139
ANEXO II: RESUMOS 141
BIBLIOGRAFIA 151

Os Chakras

Chakras são centros de energia por onde fluem todas as formas de vibração com as quais um ser humano tem contato. Há sete chakras principais no corpo humano. Além dos sete chakras principais existem mais centros de energia, mas estes são secundários e dependem dos sete principais.

Uma vez que temos contato com as mais variadas vibrações, os nossos chakras estão em permanente atuação. Podemos dizer que o nosso bem-estar físico e espiritual depende dos chakras, pois eles regulam as nossas energias.

Quem estuda os chakras descobre que a palavra chakra significa disco ou prato, sendo essa designação relativa à forma que os centros de energia assim chamados possuem. Um chakra é um disco que fica posicionado num determinado ponto do corpo, em movimento.

Os sete chakras principais estão posicionados no corpo humano da seguinte maneira:

a) no alto da cabeça está o sétimo chakra, que é o mais ligado às energias espirituais, de origem divina.

b) na testa está posicionado, entre as sobrancelhas, o sexto chakra, que está mais ligado às energias mentais.

c) na garganta está o quinto chakra, ligado às energias da comunicação inteligente.

d) no centro do peito, não precisamente sobre o coração, está o quarto chakra, relacionado com as vibrações do amor.

e) à altura da boca do estômago posiciona-se o terceiro chakra, ligado às energias da nutrição.

f) logo abaixo do umbigo está o segundo chakra, cuja ligação é mais forte com as energias emanadas pela vontade.

g) na base da coluna (quando a pessoa está sentada) e também na planta dos pés (quando a pessoa está de pé) está posicionado o primeiro chakra, que faz conexão com as energias do mundo material.

Para uma exposição mais didática, dizemos que o chakra está posicionado em determinado ponto do corpo, mas a realidade não é bem essa. Os chakras permeiam o corpo humano, mas não estão fixos em pontos.

Se as funções do chakra estão bem harmonizadas, ele gira permanentemente, no sentido horário (na direção em que se movimentam os ponteiros do relógio). Imagine que está de frente para alguém e essa pessoa é um relógio; na direção em que os ponteiros desse relógio giram, giram também os chakras dessa pessoa.

Quando as funções do chakra não estão atuantes, ele gira muito lentamente ou deixa de se movimentar. Quando o chakra está excessivamente desarmônico, gira no sentido oposto, ao contrário do que deveria.

As emoções negativas e as vibrações de qualidade inferior são para um chakra as energias mais venenosas que existem, pois alteram as funções, deixando o seu movimento desordenado. A partir da desordem nos movimentos dos chakras, outras disfunções podem ocorrer. A primeira consequência é que os chakras mais próximos daquele que foi alterado passam a ter os seus movimentos também prejudicados depois de algum tempo. Os chakras formam um sistema interligado, quando um deles fica mal, os outros vão entrando em colapso.

Com o passar do tempo, não havendo correção, também os órgãos do corpo físico na região do chakra sofrem alterações porque não recebem toda a energia de que necessitam, e surgem, então, doenças físicas relacionadas com os chakras que se desordenaram.

Cada chakra tem uma função reguladora sobre um grupo de órgãos do corpo físico, mas os órgãos físicos são os últimos a apresentar sintomas quando um chakra não recebe toda a energia de que necessita ou não elimina vibrações nocivas como deveria fazer. Antes que as doenças se manifestem, dão-se primeiro alterações comportamentais e desordens emocionais.

Por ser um conhecimento menos divulgado, vamos dar ênfase às informações esotéricas sobre os chakras, pois está nesses conhecimentos a chave para o bem-estar físico e espiritual de cada um. Nos ensinamentos esotéricos tudo é muito simples e podemos encontrar conexões que fazem chegar depressa à perfeição física e espiritual, o que é fácil de alcançar quando se aprende a regular o nosso padrão energético de maneira eficaz.

O sistema de chakras do corpo humano é apenas um dos muitos sistemas sétuplos de energia que existem. Há um sistema de chakras em todos os outros organismos nos quais as energias circulam. Por exemplo, numa casa, numa empresa, numa cidade e até num país existem esses sistemas, que também podem desordenar-se e adoecer, à semelhança do que acontece com o nosso corpo.

Os conhecimentos sobre os chakras estão muitas vezes disfarçados, na literatura religiosa, em ensinamentos sobre outras realidades. Em algumas crenças as informações são passadas de forma cifrada, para que a sua aplicação seja automática, gerando um benefício imediato.

Podemos ter uma clara demonstração de como a linguagem simbólica pode passar conhecimentos sobre um sistema sétuplo de energia, no *Apocalipse de S. João*, no qual temos sete Igrejas citadas. Lendo o texto, observamos que cada uma delas possui uma vibração principal, que está relacionada com a mesma espécie de energia relativa a um chakra do corpo humano. As Igrejas do Apocalipse são Éfeso, Esmirna, Pérgamo, Tiatira, Sardes, Filadélfia, Laodiceia.

Éfeso é a primeira Igreja à qual se dirige João no texto do *Apocalipse*. Essa é a comunidade que caiu presa do mundo material e se converteu, à qual é prometida a Árvore da Vida, se observar a qualidade da Paciência. As características da impaciência e da queda pela matéria são importantes no chakra básico, o primeiro.

A segunda Igreja citada é Esmirna, que será posta à prova e à qual é prometida a Coroa da Vida, desde que expresse a qualidade da Castidade. O segundo chakra regula as funções do sexo e da reprodução. O respeito por si mesmo e a castidade estão presentes como força positiva nesse chakra.

À terceira Igreja, Pérgamo, é dedicada uma mensagem relativa ao Controle sobre o Mal. As características do terceiro chakra estão relacionadas com o poder da vontade divina, que ajuda o ser humano a superar os desejos negativos.

O quarto chakra, localizado à altura do coração, encontra a sua ligação com a quarta Igreja, que é Tiatira, cujo atributo é o Amor. Essa é uma conexão fácil e compreensível.

Em Sardes está a quinta Igreja, da Inteligência, à qual foi feita a promessa de ter o nome escrito no Livro da Vida. O uso correto da inteligência, da comunicação e do conhecimento são atributos do quinto chakra.

Filadélfia, a sexta Igreja, chamada de Porta Aberta, encontra relação com o sexto chakra através de uma das qualidades: a Vidência, que é uma porta de entrada para o mundo espiritual.

A última Igreja, Laodiceia, é a mais rica, assim como o é o sétimo chakra, sempre abastecido pela graça de Deus.

De maneira semelhante, pode ser encontrada a relação existente entre os chakras e a oração do PAI-NOSSO, a prece que Cristo nos deixou. Essa é a oração mais simples e direta que encontramos na Bíblia. O seu poder está nas sete petições que incluem todas as necessidades do ser humano.

Cada uma das petições do PAI-NOSSO está relacionada com um dos chakras e as suas palavras, com a força vibracional que possuem, são capazes de restabelecer condições físicas e espirituais positivas.

Esse conhecimento esteve sempre aberto à humanidade que, mesmo sem ter consciência plena das ligações que a prece do PAI-NOSSO tem com os centros de energia, a tornou a oração universal da nossa civilização.

Nos capítulos seguintes estudaremos os chakras um a um, mostrando como perceber quais as disfunções que podem estar presentes, bem como prevenir futuros distúrbios energéticos. Daremos indicações de como restabelecer a correta recepção das vibrações, equilibrando cada chakra através de preces, cores, sons e florais de Bach. A oração do PAI-NOSSO é o principal recurso terapêutico no nosso esquema de recuperação dos chakras.

Devemos alertar para o fato de que é muito fácil usar as técnicas e fazer a prece do PAI-NOSSO para tornar perfeitas as funções dos chakras, mas, se não houver conhecimento das causas que deram origem aos problemas, não se eliminará a base da disfunção e todo o trabalho realizado pode ser desfeito em instantes.

Vou dar um exemplo para ficar mais claro. Vamos imaginar que eu me instruo e aprendo que a atitude de impaciência é muito danosa para o meu primeiro chakra. Aplicando este conhecimento na minha realidade, verifico que esta é a causa de muitas das minhas desordens energéticas e até físicas, pois tenho sido muito impaciente.

Em seguida, aprendo a reordenar o meu primeiro chakra e gasto algum tempo para recompor as minhas vibrações, até sentir que as minhas energias estão bem harmonizadas. No entanto, pouco tempo depois, esqueço-me de que a impaciência é um veneno para mim e retomo os meus comportamentos impacientes. Na primeira explosão de impaciência que eu tiver, o meu chakra retornará à sua anterior condição de desarmonia. De nada terá adiantado todo o esforço para melhorar, pois não fiz correções na raiz do problema.

Quem conhece os motivos que levam os seus centros de energia a terem desordens e não faz as correções, voltará a lesar os seus chakras, podendo fazer isso em poucos instantes. O nosso alerta é: aprenda a não danificar o seu sistema energético, fazendo correções nas suas atitudes e pensamentos, enquanto mantém novas posturas de vida.

Cada vez que restabelece os fluxos de energia, o sistema de chakras precisa de um tempo para fixar os resultados, por isso há um tempo de convalescença, durante o qual é preciso dupla atenção no controle das atitudes, pensamentos e palavras.

Um sistema de chakras que é tratado e se recupera, mas que é frequentemente lesado por novas energias negativas, terá, com o passar dos anos, mais e mais dificuldade para se restabelecer, podendo até mesmo não voltar a ter uma capacidade de recuperação total. É o que se pode chamar de estado crônico do sistema energético.

Neste livro vamos estudar cada chakra em profundidade, ensinando como perceber quando existe alguma alteração nas suas funções. Também vamos sugerir um conjunto de medidas para a recuperação de cada chakra desordenado. Entre as medidas para tratamento das desordens, daremos ênfase ao papel da oração do PAI-NOSSO, por ser esta prece a mais abrangente.

Devemos justificar a nossa afirmação sobre o poder da prece, para que o nosso leitor se sinta motivado a envolver-se com a prática da oração que sugerimos no final do livro.

Uma prece é um impulso da alma que clama por ajuda ou que reconhece a força divina nos momentos em que passa por uma atribulação ou quando tem o coração cheio de alegria. A oração nasce, portanto, das condições extremas de fragilidade humana e pode surgir tanto quando há felicidade, como quando há dificuldade.

Uma oração agradece, invoca, pede, reconhece, suplica, louva. E todas as formas de prece, por maior que seja a sua variedade e por mais crenças diferentes que existam, permitem transcender o limite das palavras para entrar na essência real da fé.

O poder das palavras é incontestável e toda a prece é composta por palavras plenas de forte significado. As orações como o PAI-NOSSO, cuja composição segue as fórmulas de um conhecimento espiritual muito profundo, cuja sabedoria provém de fontes milenares, faz parte do grupo de preces preciosas, que se encontram em todas as crenças bem estruturadas. Essas preces têm sentido permanente, pois entram na sede do pensamento e ali colocam a sua semente de luz. A esse tipo de influência positiva poucas mentes conseguem fechar-se. As orações dos Salmos estão nesse grupo. Mesmo que uma oração desse tipo seja repetida mecanicamente, o seu poder é tal que concretiza modificações energéticas significativas.

Mas não é só nesta característica que reside a força das orações. O seu poder vai mais longe. Podemos considerar a prece como o selo que estabelece uma aliança com Deus, fazendo do momento de devoção um ato sagrado, no qual o ser humano adquire o direito de receber um dom divino, caso haja sinceridade nas suas intenções.

Também podemos afirmar que é através da prece que a perfeita comunhão com Deus é alcançada, sendo este o meio pelo qual o amor de Cristo invade a alma. Essa é a conversão do coração, que altera condições passadas e enche de bênçãos os dias futuros.

Para bem rezar é preciso ter fé incondicional e fazer a oração com atitude simples, humilde, pura. O passo seguinte é apresentar a Deus as nossas necessidades, sem esperar que ele interfira naquilo que é o nosso karma, mas com confiança de que tudo o que possa melhorar a nossa vida será realizado. Os pedidos também podem ser dirigidos diretamente a Jesus Cristo ou Maria, pois eles próprios atendem as preces que lhes são dirigidas.

No caminho de evolução da alma, a oração é uma das maneiras pelas quais se pode realizar uma jornada de crescimento. Há muitas formas de buscar a evolução. Para quem busca alcançar o ponto de iluminação espiritual considerado como o ápice, a prece é a força ideal. Ela é o caminho escolhido por muitos dos seres iluminados que atingiram as suas metas.

A oração pode ser feita com a vocalização das palavras ou pode ser apenas mentalizada. Uma mesma prece atinge diferentes níveis dependendo da maneira como é feita. A prece vocalizada pode chegar a ter o valor de um mantra e ressoa no ambiente físico com vibrações capazes de alterá-lo. A oração mentalizada realiza as modificações vibratórias através das ondas mentais, que são igualmente poderosas.

Se o leitor observar como uma mesma prece tem resultados diferentes quando é mentalizada ou quando é vocalizada, poderá perceber qual é a vibração que emite com mais força. Para algumas pessoas os resultados são melhores quando vocalizam uma oração, para outras é a oração mental que produz mais resultados.

Para algumas pessoas o hábito de orar é uma consequência da sua fé, para outras é um exercício aprendido. Para uns é mais fácil orar, para outros existem dificuldades e precisam perseverar.

Mesmo quando não se percebe que uma prece está sendo atendida, o ato de orar produz alguma mudança no padrão energético, alteração esta que fará a diferença no correr do tempo.

Há mais um detalhe interessante a respeito dos chakras. Cada pessoa tem um chakra que está relacionado com sua personalidade básica. Isto é, cada pessoa é regida por um chakra. O chakra que dá as suas características a uma pessoa é chamado de chakra dominante. É a partir do chakra dominante que o temperamento, as tendências e as fragilidades podem ser percebidas como característica do indivíduo.

É pouco provável que encontremos alguém que tenha o sétimo chakra como dominante, pois apenas as pessoas que já escaparam da roda das reencarnações possuem a regência do sétimo centro de energia. No caso de conhecermos alguém assim, ele estará no nível de Jesus, Buda ou Saint-Germain.

As pessoas que possuem o sexto chakra dominante também não são muito comuns, pois elas preferem ter uma vida reservada e não possuem na sua natureza básica nenhum egoísmo. Bons exemplos para esse centro de energia dominante são Madre Tereza e Gandhi. É o chakra dos ocultistas com capacidade plena, dos instrutores espirituais avançados, dos doadores caridosos.

O quinto chakra dominante determina uma personalidade comunicativa e grande criatividade. O espiritualista governado por esse chakra realiza no plano material a divulgação do conhecimento, os aprendizados que o levam a um nível mais elevado, no qual é muito admirado por outras pessoas, embora ele não se sinta tão valorizado assim, pois o *ego* não é exaltado. Desde o ano 2000 tem havido a encarnação de muitas almas neste estágio evolutivo, o que determina uma fase de renascimento da cultura em geral.

O quarto chakra dominante é a característica das almas que ouviram e seguiram a mensagem de Jesus, desenvolvendo a força do amor acima de todas as outras. Quando o quarto centro domina, há muito desapego dos bens materiais, capacidade de perdoar e grande vontade de formar grupos de atuação em prol dos menos favorecidos materialmente.

O terceiro chakra dominante indica uma personalidade forte e dominadora, que faz da busca constante de novas sensações uma maneira de se motivar para a ação. As emoções sentidas são expressas positivamente através da arte. Quando esse centro governa a personalidade, a pessoa gosta de comer bem, tem muita vaidade e é inteligente acima da média.

O segundo chakra dominante é uma mostra da média da humanidade nos dias atuais. São pessoas que valorizam o consumo e extraem dele compensações. Estar sempre em busca de força vital e roubar a energia alheia inconscientemente é outra característica quando esse centro rege a personalidade. Se for bem ajustada, a pessoa que tem o segundo chakra como matriz é magnética e simpática, apreciando contatos físicos.

Infelizmente ainda há muitos indivíduos que estão na categoria do primeiro chakra dominante. Apesar de já haver superado a fase de grau inferior que ligava a humanidade unicamente à força da matéria, ainda há muitas almas que não conseguiram ascender e permanecem atadas aos desejos, à ilusão e às dificuldades geradas pela limitação material extrema. Por isso tantos crimes, tanta droga e corrupção. A nossa esperança é que a fase de purificação acelerada vivida pelas pessoas que têm o centro de energia básico como regente termine neste século.

Pai Nosso que estais nos céus, santificado seja o Vosso nome

O SÉTIMO CHAKRA

A primeira afirmação da Oração do Senhor é uma invocação que está relacionada com o centro de energia mais elevado, que é conhecido como centro da coroa ou chakra coronário. Ao chamar o Pai, o Filho está também pedindo a religação do seu espírito com a fonte de energia mais pura e absoluta que poderá nutri-lo.

Manter uma ligação com Deus efetiva e permanente é a primeira providência para quem deseja estar sempre bem, tanto no corpo físico como no espiritual.

A pessoa que corta a sua ligação com o Pai deixa de sintonizar a sua força benéfica, a qual está sempre pronta a abastecer a vida material e espiritual de todos. O desligamento pode acontecer em qualquer etapa da existência, por várias razões, mas é sempre muito fácil ser refeito, pois em nenhum momento Deus deixa de dar apoio aos seus filhos.

Chamar o Pai é refazer a aliança. Aceitar o Pai é encontrar uma casa. Adorar o Pai é aceitar o seu Filho Jesus. Chamar pelo Pai restabelece de imediato a conexão desfeita, pois o corte é sempre unilateral. Somos nós que nos afastamos do Pai, Ele

nunca nos abandona. O nosso Pai está nos céus e o seu reino pode vir a nós. Sempre.
O nome do centro de energia responsável pela conexão com Deus é SAHASRARA. Ele é o sétimo na ordem ascendente dos chakras e está localizado sobre a cabeça. No Oriente ele é representado como se fosse um lótus de mil pétalas, cuja flor está aberta para receber as emanações divinas, distribuindo-as através do sistema. No Ocidente o sétimo chakra é simbolizado pela coroa que marca a realeza espiritual. Nos quadros em que vemos figuras de pessoas santas, elas aparecem com o halo que simboliza a santidade. As crianças recém-nascidas possuem o sétimo chakra aberto, é a chamada moleira. Outro nome do sétimo chakra é Brahmarandra.
Este chakra tem a função de proteger e coordenar os outros centros de energia. Quando está bloqueado ou quando os seus movimentos estão desordenados, há reflexos nos outros centros de vibração, mais notadamente no sexto e no primeiro chakras.

A GLÂNDULA PINEAL

A glândula correspondente ao sétimo chakra é a pineal, um minúsculo corpo com forma cônica, semelhante a um cone de pinheiro, que também é conhecida como epífise. A sua posição é na base do cérebro, atrás dos olhos, numa espécie de câmara, que fica acima e atrás da glândula pituitária. A pineal surge no feto logo no primeiro mês de gestação.

A glândula pineal contém células nervosas semelhantes às da retina do olho, o que fez com que ela fosse erroneamente considerada o remanescente de um olho. Em todo o sistema endócrino essa glândula é a mais misteriosa. Para considerações dos estudiosos do mecanismo da alma, ela é, provavelmente, a mais importante.

Os espiritualistas afirmam que a pineal tem a sua forma e tamanho relacionados com a evolução espiritual de cada indivíduo. E afirma-se que, no futuro, essa glândula evoluirá para permitir o nosso contato com o inconsciente.

A sua ligação com o corpo pituitário é constante e a dupla formada pela pineal e pela pituitária (glândula do sexto chakra) é responsável pela regeneração do corpo espiritual e pela geração de capacidades extrafísicas tais como telepatia, vidência, canalização e outras.

A glândula pineal tem polaridade positiva ou masculina, enquanto que a glândula pituitária possui polaridade negativa ou feminina. Podemos considerar que as trocas magnéticas geradas pelas polaridades opostas dessas duas glândulas produzem o que os espiritualistas chamam de Casamento Místico, no qual as energias que estão dentro da mente se unem para formar um estado de perfeita harmonia.

Em épocas remotas já se conhecia a importância da glândula pineal nos processos que estimulam a alma. Talvez seja verdadeira uma crença do antigo Egito, segundo a qual os iniciados enfeitavam com pequenos cones de pinheiro a faixa que colocavam ao redor da cabeça para marcar o seu grau de instrução.

AS FUNÇÕES DO SÉTIMO CHAKRA

As funções do sétimo chakra revestem-se, como podemos concluir, de conotações mais espirituais do que materiais. E é realmente assim. Vamos analisar cada uma das atribuições que ele possui.

O sétimo chakra governa o potencial espiritual de cada ser humano, regulando as capacidades já presentes na alma, acumuladas durante sucessivas encarnações. É como se ele fosse o arquivo vivo das etapas evolutivas já vivenciadas, que prepararam o espírito para mais uma existência. Podemos dizer que o potencial atual de cada alma está registrado nesse chakra.

Uma outra atribuição desse chakra é ser responsável por estabelecer a ligação da alma com Deus. Quando observamos disfunções no sétimo centro de energia, verificamos que é muito difícil que a pessoa efetive a sua ligação com o Pai.

É através desse chakra que podemos realizar contatos com o plano espiritual. Todas as comunicações com as entidades espirituais dependem, portanto, da harmonia das funções desse centro de energia.

A capacidade de fazer uso das faculdades mediúnicas também está intimamente ligada às condições do sétimo chakra. Nele estão armazenadas as energias que permitem ao médium executar as suas atividades sensitivas. Todas as capacidades espirituais, em geral, adquiridas ou não na existência presente, só poderão ter aproveitamento quando a energia flui de maneira contínua através desse centro de energia.

O contato espiritual com Mestres iluminados depende totalmente do estado do sétimo chakra. Se houver obstrução ou má função, não será possível a comunicação com os grandes seres de luz que estão encarregados de guiar e instruir a humanidade. O mesmo se dá em relação aos contatos com os seres angelicais.

Uma boa condição do sétimo chakra permite que o ser humano realize a transmutação alquímica da alma, que consiste em alterar a negatividade, substituindo-a por uma qualidade positiva oposta. Assim, é pela influência desse centro de energia que o orgulho transmuta-se em humildade, a avareza em altruísmo, a luxúria em castidade, a cólera em amor, a preguiça em diligência, a gula em temperança, a inveja em alegria pelo bem-estar do semelhante.

As invocações realizadas através da prece tornam-se poderosas quando a nossa alma está perfeitamente conectada com a força divina, o que acontece quando o sétimo chakra está bem aberto. Para as suas preces serem ouvidas com presteza, essa é uma condição essencial.

A fé é outro atributo do sétimo chakra, quando completamente harmonizado. A fé é uma qualidade da alma que não duvida, que não ergue obstáculos. Com fé, há poucos limites para o ser humano, quase nada é para ela um impedimento. A fé é a consequência natural da consciência iluminada que se estabelece através da plena capacidade funcional do sétimo chakra.

O sétimo chakra equilibrado torna a pessoa centralizada, com o corpo físico bem estabelecido no mundo material. Faz com que a vida tenha um propósito concreto e pareça ser um presente de Deus, uma oportunidade única de crescimento. É através desse centro de energia que a consciência adquire a capacidade de se libertar das ilusões da matéria e afasta as limitações que a impedem de chegar à realização material ou à iluminação espiritual.

Em resumo, este é o chakra do grande poder espiritual!

E por que chega um centro de energia tão poderoso à condição de desordem que anula as suas magníficas funções? A resposta está no próprio ser humano. É ele, através de várias ações e emoções, quem desorganiza o seu sistema energético, na maior parte das vezes.

Como já vimos, as alterações são inicialmente emocionais, refletidas em comportamentos díspares. Numa segunda fase, os reflexos passam a ser evidentes no corpo físico.

AVALIAÇÃO DO SÉTIMO CHAKRA

Para analisar como está a situação do seu sétimo chakra, uma atitude de observação interior é suficiente. Para facilitar a sua investigação, peço que assinale se tem algum dos comportamentos ou alteração física listados a seguir:

[ ] acha que não pode chegar a Deus por si mesmo
[ ] nunca busca apoio espiritual
[ ] tem um dom espiritual que usa apenas para proveito próprio
[ ] sente pena de si mesmo
[ ] apresenta desordens no sistema imunológico
[ ] tem dores ou problemas nos ossos
[ ] tem problemas nos nervos
[ ] sente dificuldade em compreender o sentido da vida
[ ] dizem que a sua personalidade é múltipla
[ ] vivencia depressão
[ ] sente falta de direcionamento na vida
[ ] apresenta atitudes desequilibradas
[ ] tem falta de fé
[ ] está envolvido com uma religião dogmática e limitadora
[ ] tende a ter fanatismo religioso
[ ] já foi a lugares de cultos espirituais ligados ao mal
[ ] é médium e abandonou as suas atividades
[ ] tem envolvimento excessivo com estudos espiritualistas
[ ] fantasia sobre vidas passadas ou contato com guias espirituais
[ ] apresenta dores de cabeça muito frequentes.

Nesse pequeno teste, criamos condições para que você possa perceber como está o estado de funcionamento do seu sétimo chakra. Se prestar atenção às opções expostas, vai notar que cada um dos itens indica uma maneira pela qual o chakra da coroa é alterado negativamente.

As primeiras quatro opções indicam situações que geram uma desaceleração do chakra mais elevado. São elas: a falta de ligação com energias espirituais iluminadas, a autopiedade, o controle sobre os seus dons espirituais, que são usados apenas para proveito próprio.

As últimas quatro opções indicam situações nas quais acontece o oposto, que é a aceleração das funções do sétimo chakra. São elas: práticas espirituais em excesso, não fazer uso da energia que acumula no chakra (gera dor de cabeça), ter fantasias relacionadas com a espiritualidade.

As situações que originam bloqueios são: falta de fé, fanatismo religioso, envolver-se com energias pesadas, manter atividades espirituais perigosas, seguir um guia espiritual sem luz ou deixar-se dominar por ele.

No corpo físico as alterações mais comuns, que denotam um chakra coronário atingido, são: doenças do sistema imunológico, dores de cabeça constantes, todas as doenças de fundo nervoso, problemas que afetam os ossos, principalmente os alongados.

Percebendo alguma das alterações relacionadas como disfunção do sétimo chakra, você pode considerar uma provável alteração nesse centro de energia. Quanto mais pontos tiver assinalado na relação anterior, maior é a possibilidade de estar com o seu sétimo chakra em desarmonia. Faça a sua avaliação:

1. Se marcou menos de 5 itens variados, sem ser numa sequência, está com um grau moderado de comprometimento do sétimo chakra, o que pede atenção. Para recuperar o centro de energia atingido, dê início ao processo de modificação interior necessário, corrigindo os atos, pensamentos ou emoções que constatou estarem lhe fazendo mal. Não se preocupe se teve até 5 pontos assinalados, apenas fique atento.
2. Se marcou 10 ou mais itens, o seu sétimo chakra está bloqueado, com certeza. Para recuperá-lo, siga os procedimentos indicados como capazes de realizar uma limpeza do centro de energia.

3. Se assinalou algum dos quatro últimos itens, está com o seu sétimo chakra muito acelerado. Quanto mais itens marcou, maior a aceleração. Para recuperar as funções, é necessário seguir os procedimentos indicados como capazes de realizar a desaceleração do centro de energia.
4. Se assinalou algum dos quatro primeiros itens, está com os movimentos do seu sétimo chakra muito lentos. Quanto mais itens marcou, maior a desaceleração. Para recuperar as funções, é necessário seguir os procedimentos indicados como capazes de realizar a ativação do centro de energia.
5. Se assinalou desordens físicas, está na fase seguinte à da simples alteração dos centros de energia. Lembre-se: primeiro o chakra desordena-se, depois o corpo físico adoece. Para o seu chakra se recuperar, siga os procedimentos indicados como capazes de proceder à limpeza do sétimo chakra e em seguida adote a sequência de preces do PAI-NOSSO, tal como está sugerido no último capítulo, pois essa atividade irá alinhar os seus chakras e a energia fluirá mais livremente.

ROTEIROS PARA TRATAMENTO DO SÉTIMO CHAKRA:

Todo roteiro de tratamento, para qualquer caso de desordem do chakra, precisa ter uma condição essencial atendida, sem a qual os resultados estarão comprometidos. E essa condição é que o indivíduo se envolva totalmente no processo de cura, estando disposto a fazer os exercícios indicados durante um certo tempo.

Para acompanhar os roteiros seguintes, basta dedicar-se durante dez dias às práticas sugeridas. O tempo gasto não é muito e já que o envolvimento vai gerar muito bem-estar, comece logo!

1º caso: quando o chakra está bloqueado:
Neste caso as funções do chakra estão anuladas e as energias não são distribuídas pelo sistema, que está enfraquecendo como um todo. Há necessidade de promover uma limpeza do centro de energia, após a qual a tendência do chakra é retomar as suas capacidades espontaneamente.

Durante 10 dias, tome o floral de Bach chamado WILLOW, que é preparado em farmácias de manipulação. WILLOW inverte a polaridade, desfazendo a negatividade. Este floral promove uma boa limpeza energética, sendo eficaz para limpar o chakra atingido. Alertamos para o seguinte: quando usamos um floral para limpeza energética, ele age causando também, nos primeiros dias, uma limpeza física, que se apresenta como tosse, coriza, comichão, vontade de chorar ou gritar. Não se preocupe, você não tem todas essas manifestações ao mesmo tempo e elas duram apenas dois ou três dias, depois desaparecem espontaneamente.

A dosagem do remédio floral varia de acordo com a intensidade do bloqueio. Para um bloqueio leve, deve-se tomar 3 gotas, 3 vezes ao dia. Para um bloqueio moderado, a dosagem é de 4 gotas, 4 vezes ao dia. Para um bloqueio acentuado, o ideal é tomar 5 gotas do floral, 5 vezes ao dia.

Durante os dias em que estiver tomando o floral, fará também um tratamento de cromoterapia. Esse tratamento pode ser feito de modo bem simples. Coloque no seu quarto luz índigo e fique deitado, exposto a essa luz durante meia hora. O índigo é uma cor entre o violeta e o azul. Não é fácil encontrar uma lâmpada que tenha luz índigo, mas há outras maneiras de se obter luz dessa cor. Você pode colocar um tecido índigo cobrindo um abajur ou encontrar uma forma de envolver a luz do teto de tal maneira que produza essa tonalidade. Se for de dia, um tecido índigo pode cobrir a janela, como uma cortina. A cromoterapia com índigo que sugerimos pode ser feita por um terapeuta especializado, se for mais conveniente.

Em seguida ao banho de luz índigo, faça a oração do PAI-NOSSO, repetindo-a sete vezes. Cada vez que disser o texto relativo ao sétimo chakra — PAI NOSSO QUE ESTAIS NOS CÉUS, SANTIFICADO SEJA O VOSSO NOME — mentalize, de olhos fechados, que há um raio de luz índigo incidindo sobre este centro de energia, cuja posição é no alto da cabeça.

Quem pratica ou aprecia ioga, pode fazer as orações na postura de prece chamada de Postura do Diamante. Há um desenho que demonstra, de forma esquemática, como é essa postura; encontre-o no ANEXO I do livro.

Ao terminar a sequência de orações do PAI-NOSSO, entoe o mantra OM, lentamente.

Repita diariamente o banho de luz índigo, a oração e o mantra, enquanto estiver tomando o floral WILLOW. Ao terminar o tratamento sentirá que o seu sétimo chakra está limpo e desbloqueado.

2º caso: quando o chakra está acelerado:

Nesse caso, o chakra apresenta concentração de energia, por não ter feito uso de todas as vibrações que armazenou. Geralmente isso acontece quando você o abastece em excesso, seja através de muitas práticas, como por fortes anseios espirituais. Ele precisa ser desacelerado através de um tratamento que acalme os seus movimentos, depois do que retomará normalmente as suas funções.

Durante 10 dias tome o floral de Bach chamado CHERRY PLUM, que é preparado em farmácias de manipulação. CHERRY PLUM é a essência da clarificação, que promove uma suave e gradual desaceleração, ajudando o sétimo chakra a retornar ao padrão energético ideal.

A dosagem do remédio floral varia de acordo com a intensidade da aceleração. Para um estado de aceleração leve, deve-se tomar 3 gotas, 3 vezes ao dia. Para o caso de apresentar aceleração moderada, a dosagem é de 4 gotas, 4 vezes ao dia. Para aceleração acentuada, o ideal é tomar 5 gotas do floral, 5 vezes ao dia.

Durante os dias em que estiver tomando o floral, fará também um tratamento de cromoterapia com a vibração branca. Esse tratamento pode ser feito de modo bem simples. Vista roupa branca e coloque no seu quarto uma lâmpada de luz negra e fique deitado, exposto a essa luz durante meia hora. A lâmpada de luz negra faz sobressair a cor branca da roupa que estará vestindo. O branco é uma cor que tem a capacidade de desacelerar o sétimo chakra. Não é muito barato comprar uma lâmpada dessas, mas talvez você possa obter uma emprestada. Em lojas de materiais de eletrônica elas são encontradas com facilidade. Se for de dia, é necessário escurecer o quarto com uma cortina. A cromoterapia com luz negra, para produzir o branco intenso que sugerimos, pode ser feita por um terapeuta especializado, se for mais conveniente, embora nem todos os terapeutas trabalhem com a vibração branca.

Em seguida ao banho de luz branca, faça a oração do PAI-NOSSO, repetindo-a sete vezes. Cada vez que disser o texto relativo ao sétimo chakra — PAI NOSSO QUE ESTAIS NOS CÉUS, SANTIFICADO SEJA O VOSSO NOME — mentalize, de olhos fechados, que há um raio de luz branca incidindo sobre este centro de energia, localizado no alto da cabeça.

Quem pratica ou gosta de ioga, pode fazer as orações na postura de prece tradicional, de pé ou sentado, com as mãos unidas. Ao terminar a sequência de orações do PAI-NOSSO, entoe o mantra OM, lentamente.

Repita diariamente o banho de luz branca, a oração e o mantra, durante os dez dias em que estiver tomando o floral CHERRY

PLUM. Ao terminar o tratamento sentirá que o seu sétimo chakra se restabeleceu, voltando a movimentar-se adequadamente.

3º caso: quando o chakra está desacelerado:
Nesse caso, o chakra apresenta perda de energia, por não ter feito uso das vibrações que lhe foram dirigidas. Talvez essa desaceleração aconteça porque você não o abasteceu adequadamente, não se ligando às forças iluminadas de um guia espiritual ou de uma crença. Um outro motivo pode ser porque você não usa os seus dons espirituais positivamente.

O sétimo centro de energia precisa ser ativado por um tratamento que acelere os seus movimentos, depois do que você retomará normalmente as suas funções.

Durante 10 dias tome o floral de Bach chamado WATER VIOLET, que é preparado em farmácias de manipulação. WATER VIOLET ajuda a receber o anjo da sabedoria, que traz entendimento intuitivo. Este floral promove suave e gradual aceleração, ajudando o sétimo chakra a retornar ao padrão energético ideal.

A dosagem do remédio floral varia de acordo com a intensidade da desaceleração presente. Para um estado de desaceleração leve, deve tomar 3 gotas, 3 vezes ao dia. Para o caso de apresentar desaceleração moderada, a dosagem é de 4 gotas, 4 vezes ao dia. Para desaceleração acentuada, o ideal é tomar 5 gotas do floral, 5 vezes ao dia.

Durante os dias em que estiver tomando o floral, fará também um tratamento de cromoterapia com a vibração violeta. Coloque no seu quarto luz violeta e fique deitado, exposto a essa luz durante meia hora. O violeta é uma cor que atua muito positivamente no sétimo chakra. Pode ser que não seja fácil encontrar uma lâmpada que tenha luz violeta, mas há outras maneiras para se obter luz dessa cor. Você pode colocar um tecido violeta cobrindo um abajur ou encontrar uma forma de envolver a luz do teto de tal maneira que produza essa tonalidade. Se for de dia, um tecido violeta pode cobrir a janela, como uma cortina.

A cromoterapia com violeta que sugerimos pode ser feita por um terapeuta especializado, se achar que é mais fácil.

Em seguida ao banho de luz violeta, faça a oração do PAI-NOSSO, repetindo-a sete vezes. Cada vez que disser o texto relativo ao sétimo chakra — PAI NOSSO QUE ESTAIS NOS CÉUS, SANTIFICADO SEJA O VOSSO NOME — mentalize, de olhos fechados, que há um raio de luz violeta incidindo sobre este centro de energia, que fica no alto da cabeça.

Quem pratica ou gosta de ioga pode fazer as orações mantendo as mãos na posição tradicional de prece, permanecendo de pé. A postura de pé atende a verticalidade, permitindo que o sétimo chakra seja estimulado. Há um desenho que mostra, de forma esquemática, como é essa postura; encontre-o no ANEXO I do livro. Ao terminar a sequência de orações do PAI-NOSSO, entoe o mantra OM, lentamente.

Repita diariamente o banho de luz violeta, a oração e o mantra, durante os dez dias em que estiver tomando o floral WATER VIOLET. Ao terminar o tratamento você sentirá que o seu sétimo chakra se restabeleceu, voltando a movimentar-se adequadamente.

4º caso: quando há reflexos físicos:

Os problemas físicos aparecem quando o chakra fica desordenado durante muito tempo. Eles também podem surgir quando se estabelece uma situação crônica de desordem, por sucessivas atitudes de agressão ao centro de energia.

Para tratar os sintomas físicos, você deve procurar um médico, pois apenas ele poderá dizer com precisão qual o tratamento para cada caso.

No entanto, pode-se fazer uma avaliação através do pequeno teste que está neste capítulo, para ter uma noção do estado do chakra, verificando se ele está bloqueado, acelerado ou desacelerado. A partir dessa constatação, não há nenhum problema em seguir as indicações relativas ao tratamento do chakra. O tratamento com florais, luz e prece pode acompanhar os procedimentos médicos sem que haja interferência. Na verdade, as energias da luz, da prece e dos florais costumam intensificar a ação dos remédios e de outros procedimentos médicos.

MEDITAÇÃO PARA O SÉTIMO CHAKRA:
Na luz do Senhor, Sahasrara permanece ativo. A minha ligação com Deus é um desejo profundo, que vem da minha alma. Refaço essa ligação por vontade consciente. Que ela aconteça com o amparo do Pai, do Filho e da Mãe. A luz violeta da transmutação é o presente que recebo. No meu ser o orgulho torna-se humildade. Toda a avareza muda para doação. A luxúria agora é castidade. A cólera desfez-se em amor. A preguiça transformou-se em diligência. A gula é temperança. A inveja tornou-se alegria quando vejo o bem-estar dos meus irmãos.
Na luz permaneço por vontade e desejo do Pai. O Casamento Místico consuma-se.

EXPERIÊNCIAS QUE EXPANDEM O SÉTIMO CHAKRA:
- Ouvir música de boa qualidade, de um artista inspirado, tocada por uma orquestra ao vivo.
- Ir a um templo bonito, de qualquer religião, e assistir a uma celebração; não precisa participar do ritual.
- Visitar crianças excepcionais, levar algo que as faça sorrir.

Venha a nós o Vosso reino

O PRIMEIRO CHAKRA

A segunda afirmação da oração do Pai é a primeira súplica do Filho que está no mundo material e precisa sentir que não está desamparado. O Reino de Deus está no alto, é uma promessa futura, mas as concretizações que devem ser efetivadas no momento da prece estão relacionadas com o plano de existência físico. Ao pedir que o Pai traga para o mundo real os seus dons divinos, o ser humano mostra a crença no apoio do Pai, ao qual se sente ligado.

O centro de energia que está relacionado com essa súplica é o primeiro chakra, conhecido como chakra básico ou da raiz. Este centro de energia é considerado o mais físico dos chakras, pois estabelece a conexão do corpo material com a terra.

É fácil entender como do sétimo chakra passamos para o primeiro. Imagine que o chakra da coroa, o mais elevado, está conectado com as forças divinas através de um vórtice em movimento, e que esse vórtice, tal como um redemoinho, desce verticalmente, em espiral, atravessando todo o corpo humano, indo até os pés, onde estabelece ligação com a terra. Só o primeiro e o sétimo chakras estão unidos pela mesma espiral que se movimenta no sentido vertical. Os outros cinco chakras possuem movimento horizontal.

A espiral pela qual a energia de Deus desce através do corpo humano é conhecida como serpente *kundalini*. A força divina, que vem do alto, instala-se no chakra da base e dali só ascende quando é necessário. Ao fazer o pedido de que VENHA A NÓS O VOSSO REINO, na verdade estamos colocando em movimento descendente a energia de Deus que já havia sido direcionada para o sétimo chakra quando dissemos PAI NOSSO QUE ESTAIS NOS CÉUS, SANTIFICADO SEJA O VOSSO NOME. A partir do momento em que pedimos que a energia divina desça, ela movimenta-se e fica instalada no primeiro centro de energia, de onde passa a abastecer o corpo físico.

Há muita fantasia e engano a respeito do que é a energia adormecida da *kundalini*. Dizem que ela é responsável pela demência e por distúrbios sexuais negativos, quando sobe à cabeça. A energia adormecida da *kundalini* é uma reserva vital que não pode ser despertada para aplicações inferiores, pois, sendo de origem divina, ela só é despertada pelo chamado da sua fonte original, que é Deus.

Na verdade a *kundalini* é responsável pelas curas físicas consideradas milagrosas e pela energia sobre-humana que algumas pessoas alcançam em momentos críticos. A *kundalini* é a reserva de Deus, um fio de energia que Ele estende em casos extremos. O acúmulo energético que fica na base da espinha é conhecido em certos meios esotéricos como Dragão de Luz.

O nome do primeiro chakra é MULADHARA, mas ele também é conhecido por outros nomes: chakra fundamental, chakra da base, chakra kundalíneo. A sua principal função é trazer para a matéria o espírito, com o objetivo de preencher as necessidades materiais de modo que a alma possa realizar o seu trabalho evolutivo, ainda que limitada por um corpo material. O grande valor do chakra da base é ser o ponto no qual acontece a reversão vibracional que permite adaptar a alma às condições físicas com as quais ela terá que viver temporariamente.

AS GLÂNDULAS SUPRARRENAIS

As glândulas suprarrenais estão relacionadas com o primeiro chakra. Não é por acaso que essas glândulas são conhecidas como as glândulas da emergência: elas segregam a substância conhecida como adrenalina, que prepara o corpo para situações de risco. As suprarrenais estão posicionadas perto dos rins, têm a forma e o tamanho de um grão de feijão grande.

Quando uma das suprarrenais é removida, o corpo apresenta poucas alterações, mas, se houver a remoção de ambas, isso é fatal, em poucas horas a morte acontece. A importância dessas glândulas é tal que o organismo provê para elas mais sangue que para o resto dos órgãos. Passa pelas suprarrenais seis vezes mais sangue que o seu peso, a cada unidade de tempo.

No feto, cada uma das suprarrenais começa como duas unidades distintas, que se unem durante a evolução fetal para formar uma única glândula, que fica dividida em duas partes: o córtex e a medula. O córtex é o polo positivo ou masculino, a medula é o polo negativo ou feminino. Esotericamente, o córtex dá ao espiritualista características de coragem e agressividade; a medula dá-lhe a capacidade de sentir afeto, o poder de cura.

As secreções do córtex contêm mais de 30 substâncias hormonais, sendo a principal a cortisona. O metabolismo dos sais minerais e da água é controlado pelos hormônios adrenocorticais, bem como o do açúcar.

A medula da suprarrenal produz a adrenalina, um poderoso hormônio. Ele prepara o organismo para uma situação de emergência, acelerando os batimentos cardíacos, que levam o sangue a irrigar os músculos, que ficam prontos para a ação. A adrenalina ajuda a acelerar a coagulação do sangue, se houver hemorragia. E estimula o fígado a liberar mais açúcar, dando mais energia ao corpo.

As suprarrenais são realmente glândulas de energia, que dão força física e mental. É o primeiro chakra governa a quantidade de energia que o corpo usa nas suas atividades materiais e espirituais. Ele também é responsável pelo controle sobre a quantidade de energia que precisa ser reposta, por isso ele gera no ser humano impulsos materiais.

As disfunções das suprarrenais produzem muitas alterações. Quando elas estão ativas para além do normal, os reflexos são: agressividade, irritabilidade, ressentimento, falta de adaptação, temperamento exaltado. Quando as suprarrenais estão pouco ativas, abaixo do normal, observamos: muita sensibilidade à dor, tristeza, seriedade, depressão, neurastenia.

AS FUNÇÕES DO PRIMEIRO CHAKRA

Quando você sente vontade de comer determinado vegetal é porque o seu corpo precisa da energia daquele alimento. Quando sente desejo de viver ou ficar perto de um lugar onde há um tipo especial de energia, tal como ficar perto do mar ou da montanha, é porque o seu corpo físico precisa se abastecer das vibrações emitidas por aquele elemento. Quem regula todas essas necessidades é o primeiro chakra.

Este centro de energia também regula a carga energética que é distribuída pela pessoa para os outros seres com os quais tem contato. Na maior parte das vezes em que sentimos aversão por alguém é porque essa pessoa pode tirar-nos uma quantidade de energia que não temos para doar. Quando gostamos muito de estar perto de alguém é porque as trocas energéticas, num nível físico e também espiritual, são compensadoras.

O chakra da base é capaz de ajudar na reposição das energias com rapidez, evitando problemas por falta de vitalidade. Ele é grande doador da vida material.

O fluxo de energias recebidas da Terra e do Sol é regulado pela ação do primeiro chakra, que distribui as vibrações absorvidas por ele para os outros chakras. Esse é o grande ativador dos outros chakras.

As sensações físicas agradáveis, que geram prazer, são muito revitalizantes para o primeiro chakra, enquanto que as sensações físicas que geram desconforto são negativas para ele, pois enfraquecem as suas vibrações.

Um grande presente para o ser humano, doado pelo primeiro centro de energia, é o gosto pela vida material. Ao entrar em contato, pelo nascimento, com o mundo material, a alma tem que se adaptar à nova realidade. O nascimento implica sair da perfeita e total união com Deus para se tornar uma pequena parte dele, com carne e sangue. Isso nem sempre é aceito pela alma com facilidade. Ao extrair do corpo o prazer, e o primeiro deles é receber o leite da mãe, a alma consegue acalmar um pouco os seus temores.

Uma boa condição do primeiro chakra ajuda a criar raízes e a ter segurança material. A capacidade de sobreviver e manter as suas condições materiais em níveis favoráveis indica que o centro de energia está bem. Quem ganha pouco dinheiro precisa harmonizar melhor o chakra da base.

Quando harmônico, o primeiro chakra favorece a longevidade, pois induz à autopreservação, que é uma atitude de quem respeita o seu corpo físico e atende as suas necessidades com carinho. A aceitação do corpo físico é um estímulo importante para uma vida longa. É preciso considerar o corpo como o altar de Deus e zelar por ele, alimentando-o bem e não correndo riscos de vida desnecessários.

O chakra básico é estimulado pelo contato físico com a terra. Quando for necessário, fique em contato direto com terra, areia, rochas. Por influência do chakra da raiz dá-se um despertar do interesse pelo planeta, motivando os seus habitantes a cuidarem da sua casa universal. A pureza das ações, mais responsabilidade consigo e com os outros são outros atributos do chakra fundamental. Estando bem harmonizado, ele ajuda a tomar decisões corretas.

E, para finalizar, como o uso correto do dinheiro é uma capacidade influenciada por esse chakra, a carreira profissional está dentro do contexto dos assuntos regidos pelo chakra básico, pois é do trabalho que costumam vir os recursos financeiros. Quem não consegue manipular os seus ganhos na medida do necessário está com o primeiro centro de energia desordenado.

AVALIAÇÃO DO PRIMEIRO CHAKRA

Para analisar o estado do seu primeiro chakra, sugerimos que faça uma observação, constatando se tem algumas das características relacionadas na pequena lista que segue. Assinale quais são comuns, mesmo que não seja sempre assim.

[ ] atualmente tem problemas financeiros ou profissionais
[ ] tem dificuldades familiares
[ ] apresenta desprendimento ou desinteresse pelas suas condições
[ ] tem ou teve recentemente problemas por causa de uma herança
[ ] não se interessa muito por ecologia
[ ] às vezes tem explosões de nervos, já cometeu atos violentos
[ ] não cuida do corpo como acha que deveria
[ ] tem reumatismo, artrite ou dores ciáticas

[ ] tem problemas nas extremidades dos ossos
[ ] tem problemas para eliminar urina ou fezes
[ ] sente medos noturnos
[ ] quando gosta, tem paixão (por tudo)
[ ] tem dificuldade em tomar decisões ou ocupar o seu espaço
[ ] tem fadiga crônica
[ ] não gosta da vida, não se sente acolhido na terra
[ ] teme ficar pobre
[ ] come demasiado
[ ] pessoas mais próximas reclamam que as suas atitudes são egoístas
[ ] séria dificuldade na nutrição: obesidade, anorexia ou bulimia
[ ] a sua impaciência é uma tendência sempre presente.

Nesse pequeno teste, criamos situações para que você possa perceber como está o estado de funcionamento do seu primeiro chakra. Se prestar atenção às opções expostas, vai notar que cada um dos itens indica uma maneira pela qual o chakra básico é alterado negativamente.

As primeiras quatro opções indicam situações que geram uma desaceleração do primeiro chakra. São elas: desprendimento da matéria, problemas com o dinheiro e a profissão, problemas com a família.

As últimas quatro opções indicam situações em que acontece o oposto, em que há aceleração das funções do primeiro chakra. São elas: dificuldades com a alimentação, egoísmo, impaciência e irritação.

As situações que originam bloqueios são: explosão de nervos, violência, descuidos com o corpo, falta de conexão com a terra.

No corpo físico as alterações mais comuns, que indicam que o seu chakra da raiz está atingido, são: obesidade, bulimia, anorexia, problemas musculares e nos tendões, reumatismo, artrite, dores ciáticas, doenças ou lesões nas pernas e pés, hemorroidas, constipação, problemas para eliminar urina e fezes, dores ou doenças nas extremidades dos ossos, problemas nos rins e no reto, distúrbios relacionados com as glândulas suprarrenais (diabetes, doença de Addison, doença de Cushing). Esse chakra é um dos que apresentam maior número de distúrbios físicos, pois é o mais material de todos.

Percebendo alguma das alterações relacionadas como disfunção do primeiro chakra, há indicação de que tem uma provável alteração nesse centro de energia. Quanto mais pontos contabilizar na relação anterior, maior é a possibilidade de você estar com o seu chakra da base em disfunção. Agora, leia sobre a avaliação:

1. Se marcou menos de 5 itens variados, sem ser numa sequência, está com um grau moderado de comprometimento do primeiro chakra, o que pede algum cuidado. Para recuperar o centro de energia atingido, dê início ao processo de modificação interior. É necessário corrigir atos, pensamentos ou emoções que você sabe que estão lhe fazendo mal. Não se preocupe se teve uma contagem até 5 pontos assinalados, apenas fique atento.
2. Se marcou 10 ou mais itens, o seu primeiro chakra está bloqueado, isso é certo. Para recuperar, leia adiante como pode usar florais, cores e outros recursos para fazer uma limpeza neste centro de energia.
3. Se assinalou algum dos quatro últimos itens, você está com o seu primeiro chakra muito acelerado. Quanto mais itens marcou, maior a aceleração. Para recuperar os movimentos, sugerimos que siga as indicações adiante;

elas são capazes de realizar a desaceleração do centro básico de energia.
4. Se assinalou algum dos quatro primeiros itens, está com os movimentos de seu primeiro chakra muito lentos. Quanto mais itens marcou, maior a desaceleração. Para recuperar este centro energético, é interessante seguir os procedimentos indicados como capazes de realizar a ativação do chakra kundalíneo.
5. Se assinalou desordens físicas, está na fase seguinte à da simples alteração dos centros de energia. Lembre-se: primeiro o chakra desordena-se, depois o corpo físico adoece. Para o seu chakra se recuperar, siga os procedimentos indicados como capazes de proceder à limpeza do primeiro chakra e em seguida faça a sequência de preces do PAI-NOSSO, que permitirão alinhar os chakras. Esse roteiro está sugerido no último capítulo.

ROTEIROS PARA TRATAMENTO DO PRIMEIRO CHAKRA:

Todo roteiro de tratamento, em qualquer caso de desordem dos chakras, segue uma linha na qual é essencial uma postura, sem a qual os resultados podem não ser como esperado. A principal condição para o sucesso é que a pessoa se envolva de maneira total com o processo de cura, estando disposta a fazer os exercícios indicados, durante um certo tempo.

Se deseja melhorar o seu primeiro chakra, siga os roteiros descritos a seguir, dedicando-se durante dez dias às práticas sugeridas. Nada do que está sugerido vai tomar muito tempo, nem é complicado. Comece já!

1º caso: quando o chakra está bloqueado:
Em caso de bloqueio, as funções do chakra estão anuladas e as energias não são satisfatoriamente distribuídas pelo sistema,

que vai enfraquecendo. Há necessidade de limpar o centro de energia e, depois disso, a tendência do chakra é retomar as suas capacidades de modo espontâneo.

Durante os 10 dias de tratamento, tome o floral de Bach chamado HORNBEAM, que é preparado em farmácias de manipulação. HORNBEAM ajuda a construção do corpo físico, enquanto faz uma boa limpeza energética, sendo eficaz para limpar o primeiro chakra quando ele está bloqueado. Preste atenção: quando tomamos um floral para realizar uma limpeza energética, ele pode causar, nos primeiros dias, uma limpeza física também. Essa limpeza física pode vir através de tosse, coriza, comichão, vontade de chorar ou gritar. Não se preocupe, porque não vai ter todas essas manifestações ao mesmo tempo, e mesmo o que tiver vai durar apenas dois ou três dias, depois tudo desaparece espontaneamente.

A dosagem do remédio floral varia de acordo com a intensidade do bloqueio. Para um bloqueio leve, deve-se tomar 3 gotas, 3 vezes ao dia. Para um bloqueio moderado, a dosagem é de 4 gotas, 4 vezes ao dia. Para um bloqueio acentuado, o ideal é tomar 5 gotas do floral, 5 vezes ao dia.

Durante os dias em que estiver tomando o floral, fará também um tratamento de cromoterapia. Esse tratamento é feito de modo bem simples. Coloque no seu quarto luz verde-azulada e fique deitado, exposto a essa luz durante meia hora. Se não encontrar uma lâmpada que tenha luz nessa tonalidade, há outras maneiras para se obter luz dessa cor. Você pode comprar uma lâmpada azul e envolvê-la em papel ou tecido verde. Outra opção é colocar um tecido de cor verde-azulada sobre um abajur. Se for de dia, pode cobrir a janela com um tecido dessa tonalidade, como se fosse uma cortina. A cromoterapia com a cor verde-azulada que sugerimos pode ser feita por um terapeuta especializado, se achar que é mais fácil.

A seguir ao banho de luz com a cor indicada, faça a oração do PAI-NOSSO, repetindo-a sete vezes. Cada vez que disser o texto relativo ao primeiro chakra — VENHA A NÓS O VOSSO REINO —, mentalize, de olhos fechados, que há um raio de luz verde-azulada incidindo sobre este centro de energia; cuja posição é na base da coluna.

Quem pratica ou aprecia ioga, pode fazer, após as preces, uma postura de mãos que é muito usada para harmonizar o primeiro chakra. Essa posição consiste em unir a ponta dos dedos polegar e anular com uma leve pressão. Fique sentado, mais ou menos quinze minutos, com as mãos apoiadas nas coxas, palmas voltadas para cima, de maneira relaxada, mas com o polegar pressionando o dedo anular. Permaneça exercendo pressão constante sobre as pontas dos dois dedos, quinze minutos ou mais, chegando até quarenta minutos no máximo. Entoe, ao terminar, o mantra LAM, lentamente.

Repita diariamente o banho de luz verde-azulada, a oração e o mantra, durante os dez dias em que estiver tomando o floral HORNBEAM. Ao terminar o tratamento você sentirá o primeiro chakra limpo e desbloqueado.

2º caso: quando o chakra está acelerado:

Um chakra acelerado apresenta concentração de energia. Isso acontece por diversos motivos, mas é principalmente por excesso de comida ou dieta desequilibrada, deixar-se levar pela irritação ou pela impaciência e ter atitudes de egoísmo. Nesse caso, o centro da base precisa ser desacelerado por meio de um tratamento que acalme os seus movimentos, depois do que retomará normalmente as suas funções.

Durante 10 dias tome o floral de Bach chamado CLEMATIS, que é preparado em farmácias de manipulação. CLEMATIS ajuda a alma a fazer o retorno ao individual. Este floral promove suave e gradual desaceleração, ajudando o primeiro chakra a retornar ao padrão energético ideal.

A dosagem do remédio floral varia de acordo com a intensidade da aceleração verificada. Para um estado de aceleração leve, deve-se tomar 3 gotas, 3 vezes ao dia. Para o caso de apresentar aceleração moderada, a dosagem é de 4 gotas, 4 vezes ao dia. Para aceleração acentuada, o ideal é tomar 5 gotas do floral, 5 vezes ao dia.

Durante os dias em que estiver tomando o floral, é interessante fazer também um tratamento de cromoterapia. A cor usada é o azul. Esse tratamento pode ser feito de modo bem simples. Fique deitado, exposto à luz azul durante meia hora. A luz azul tem a capacidade de desacelerar o primeiro chakra, acalmando os seus movimentos. As lâmpadas azuis são encontradas com facilidade, e essa é a maneira mais prática de fazer a aplicação das vibrações azuis. Se for de dia, é necessário escurecer o quarto com uma cortina. A cromoterapia com luz azul pode ser feita por um terapeuta especializado, se achar que é interessante.

A seguir ao banho com a luz azul, faça a oração do PAI-NOSSO, repetindo-a sete vezes. Cada vez que disser o texto relativo ao primeiro chakra — VENHA A NÓS O VOSSO REINO — mentalize, de olhos fechados, que há um raio de luz azul incidindo sobre este centro de energia, que está localizado na base da coluna.

Quem pratica ou aprecia ioga, pode fazer, ao terminar as orações, uma postura de ioga que ajuda a desacelerar o primeiro chakra. Fique de pé, mantendo os pés ligeiramente separados. Inspire profundamente, enquanto vai erguendo o calcanhar, até ficar nas pontas dos pés. Ao mesmo tempo que inspira e fica na ponta dos pés, eleve os braços para o alto. Mantenha-se assim alguns instantes, respirando normalmente, tanto quanto conseguir ficar sem esforço. Quando quiser desfazer a postura, desça suavemente. Há um desenho que mostra, de forma esquemática, como é essa postura, no ANEXO I do livro. Ao terminar a postura de ioga, entoe o mantra LAM, numa expiração, lentamente.

Repita diariamente o banho de luz azul, a oração e o mantra, durante os dez dias em que estiver tomando o floral CLEMATIS. Ao terminar o tratamento sentirá que o seu chakra básico desacelerou e voltou a movimentar-se adequadamente.

3º caso: quando o chakra está desacelerado:

Nesse caso, o chakra apresenta perdas energéticas por não usar todas as vibrações que lhe foram dirigidas. Talvez essa desaceleração seja porque você não o está abastecendo adequadamente, não se ligando às forças da terra e ficando desligado da vida material. Estar envolvido com problemas da sua base — a família — é outra causa de desaceleração do primeiro chakra. E uma das causas mais comuns de desaceleração não deve ser esquecida: estar numa fase em que tem pouco dinheiro ou dificuldade em ganhá-lo. Um outro motivo que gera desequilíbrio no centro básico de energia é não valorizar a sua casa universal, o planeta em que vive.

Quando o chakra da base está desacelerado, precisa ser ativado através de um tratamento que acelere os seus movimentos, depois do que retomará normalmente as suas funções.

Durante 10 dias tome o floral de Bach chamado LARCH, que é preparado em farmácias de manipulação. LARCH dá liberdade de ação e promove suave e gradual aceleração, ajudando o primeiro chakra a retornar ao padrão energético ideal.

A dosagem do remédio floral varia de acordo com a intensidade da desaceleração presente. Para um estado de desaceleração leve, deve-se tomar 3 gotas, 3 vezes ao dia. Para o caso de apresentar desaceleração moderada, a dosagem indicada é de

4 gotas, 4 vezes ao dia. Para desaceleração acentuada, o ideal é tomar 5 gotas do floral, 5 vezes ao dia.

Durante os dias em que você estiver tomando o floral, pode complementar o seu tratamento com cromoterapia. A vibração ideal para desfazer a desaceleração é a cor rosa forte. Coloque no seu quarto luz rosa forte e fique deitado, exposto a essa luz durante meia hora. O rosa forte é uma cor que atua muito positivamente no primeiro chakra, ativando-o. Pode ser que não seja fácil encontrar uma lâmpada que tenha uma luz rosa intensa, mas há outras maneiras para se obter luz dessa cor. Você pode colocar um tecido dessa tonalidade cobrindo um abajur ou colocar um tecido da cor rosa forte e cobrir a janela durante o dia, como uma cortina, que vai filtrar a luz do sol, deixando passar a luz em tom de rosa. A cromoterapia com rosa que sugerimos pode ser feita por um terapeuta especializado, se achar que é mais fácil.

A seguir ao banho de luz rosa forte, faça a oração do PAI-NOSSO, repetindo-a sete vezes. Cada vez que disser o texto relativo ao primeiro chakra — VENHA A NÓS O VOSSO REINO — mentalize, de olhos fechados, que há um raio de luz rosa, bem forte, incidindo sobre o centro de energia que fica na base da coluna.

Quem pratica ou aprecia ioga, pode fazer uma postura de ioga que estimule o primeiro chakra. Mantenha os pés bem plantados no chão, um pouco separados. Vá baixando os quadris aos poucos, até ficar agachado. Permaneça assim o tempo que puder, sem fazer um esforço extremo, mas aguentando um pouco o desconforto. Depois levante-se. Esta postura leva a corrente sanguínea a irrigar o primeiro chakra, com muitos benefícios. Há um desenho que mostra, de forma esquemática, como é essa postura; encontre-o no ANEXO I do livro. Ao terminar a postura, entoe o mantra LAM, lentamente.

Repita diariamente o banho de luz rosa forte, a oração e o mantra, durante os dez dias em que estiver tomando o floral LARCH. Ao terminar o tratamento sentirá que o seu primeiro chakra se ativou, voltando a movimentar-se adequadamente.

4º caso: quando há reflexos físicos:
Os problemas físicos aparecem quando o chakra fica desordenado durante muito tempo. Eles também podem surgir quando se estabelece uma situação crônica de desordem, por sucessivas atitudes de agressão ao centro de energia.

Quando o primeiro chakra está desequilibrado, o corpo pede carne e proteínas.

Para tratar os sintomas físicos, você deve procurar um médico, pois apenas ele dirá com precisão qual o tratamento para cada caso.

No entanto, pode fazer uma avaliação através do pequeno teste que está neste capítulo, para ter uma noção do estado do chakra, verificando se ele está bloqueado, acelerado ou desacelerado. A partir dessa constatação, não há nenhum problema em seguir as indicações relativas ao tratamento do chakra. O tratamento com florais, luz e prece pode acompanhar os procedimentos médicos sem que haja interferência. Na verdade, as energias da luz, prece e florais costumam reforçar a ação dos remédios e de outros procedimentos médicos.

MEDITAÇÃO PARA O PRIMEIRO CHAKRA:

Na luz do Senhor, Muladhara é fortalecido. A minha ligação com Deus é um desejo profundo, que vem da minha alma. Refaço essa ligação por vontade consciente. Que ela aconteça com o amparo do Pai, do Filho e da Mãe. A luz rosa da vitalização é o presente que recebo. No meu ser a insegurança dá lugar à estabilidade, a falta de amparo cede espaço à partilha, o desespero da queda é seguido pela certeza da ascensão. Na luz permaneço por vontade e desejo do Pai. O Reino de Deus na terra vem a mim.

**EXPERIÊNCIAS QUE EXPANDEM
O PRIMEIRO CHAKRA:**
- Fazer uma viagem de volta à terra natal ou à casa em que nasceu.
- Estar algum tempo com animais, tocá-los e brincar com eles.
- Colocar os pés em terra, pedra ou areia quente.

Seja feita a Vossa vontade, assim na terra como no céu

O SEGUNDO CHAKRA

A terceira afirmação da oração do Pai é uma entrega confiante. Crendo na força de Deus, ativa na terra e no céu, mas consciente da fragilidade da sua vida material, o Filho entrega ao Pai o seu destino, aceitando que este se cumpra como Ele quiser.

O segundo centro de energia do corpo humano está relacionado com a vontade divina, a lei maior. Mas esse centro também é a sede dos primeiros impulsos do ser em busca de elevação, por ação da consciência, que deseja conhecer a lei de Deus.

O simbolismo que representa o estado da alma no ponto em que o segundo centro de energia atua, pode ser imaginado como uma alma, vinda do alto, que caiu na terra e se ergue em busca de elevação. Vir do alto é uma ligação clara com o sétimo chakra — a alma deixou as esferas superiores para descer à terra. O descer à terra está relacionado com a encarnação e com o primeiro chakra, quando a alma ganha um corpo material. Em seguida, a consciência começa a manifestar-se e a alma quer erguer-se, dando os primeiros passos em busca da ascensão — o que acontece sob o domínio do segundo centro de energia.

Ao afirmar que aceita a vontade divina tanto na terra como no céu, o Filho entrega ao Pai não só o corpo material, mas também o espiritual, mostrando concordância com o projeto superior de evolução que Deus tem para ele. Está, na verdade, aceitando o seu karma e tudo o que ele implica de purificação dolorosa.

O nome do segundo chakra é SUADISTHANA, mas ele também é conhecido por outros nomes: chakra do sacro, sacral, umbilical. Ele está posicionado logo abaixo do umbigo, é fácil sentir onde se encontra se apalpar com a ponta do dedo a região. A sua principal função é a distribuição de energias, através da criação da polaridade.

Ainda que represente um impulso inicial de subida aos céus, o segundo centro está ligado a uma das necessidades materiais básicas, a da reprodução, o que dá a este centro característica mais material que espiritual. Os chakras materiais são o primeiro, o segundo e o terceiro.

Os três chakras materiais formam um triângulo de forças regeneradoras no plano físico, precisando estar harmonizados para que o fluxo energético que mantém a saúde esteja permanentemente ativo. Qualquer alteração num deles afeta os outros. E o segundo chakra, por estar no centro dos outros dois, tem uma função importante: equilibra e distribui. Do terceiro chakra ele capta a energia solar, passando-a para o primeiro. Do primeiro chakra ele capta a energia da terra, passando-a para o terceiro. Aos dois, ele irriga com a sua própria energia, que é a da água.

AS GÔNADAS

As glândulas gônadas estão relacionadas com o segundo chakra. Essas glândulas estão localizadas na região sacral. O seu nome vem do grego e quer dizer semente, estando aplicado tanto ao masculino quanto ao feminino. As masculinas são os testículos e as femininas são os ovários.

As gônadas não são tão necessárias à manutenção da vida, como fator de sobrevivência do ser, mas são necessárias à manutenção da espécie, que sem ela não sobreviveria. Os testículos produzem a testosterona, o poderoso hormônio masculino, mas também produzem outros hormônios. Os ovários produzem o estrogênio e a progesterona. Esses hormônios geram a diferença entre homens e mulheres.

Para o espiritualista a importância dessas glândulas é grande. Em primeiro lugar, são elas que vão, na primeira fase da evolução, motivar o jovem a procurar a sua complementação, o seu par. Depende muito dessa escolha o desenvolvimento da espiritualidade, pois o casamento tolhe ou facilita o crescimento da alma. Em segundo lugar, gônadas muito ativas dão um excessivo impulso sexual, gerando em algumas pessoas obstáculos para superar a atração por ligações materiais passageiras, que são de pouco valor, pois mantêm a alma limitada às sensações físicas. Gônadas pouco ativas geram algumas indefinições quanto ao papel do sexo na vida ou quanto ao sexo predominante na personalidade.

Nem de longe queremos levar à ideia de que o sexo é negativo ou que pode impedir a evolução espiritual. Ao contrário disso, o sexo bem orientado é uma permanente fonte de energia de excelente qualidade, podendo ser essa energia transmutada em alterações vibracionais que aproximem a alma da perfeição ideal. A negatividade do sexo consiste em fazer dele um ato menor, quando pode ser algo que enche a vida de significado.

Observe qualidades que podem ser resultado da função positiva de complementação, que se expressa em atitudes com o parceiro de sexo: criatividade, prazer, sinceridade, colaboração, alegria, fantasias sexuais positivas. Já a expressão negativa da polaridade sexual manifesta-se como: sensualidade, sedução, indiferença, manipulação do companheiro, fantasias sexuais negativas, insegurança.

As disfunções das gônadas produzem muitas outras alterações. Quando elas estão ativas além do normal os reflexos são: vontade forte, possessividade, dominação, impulsividade. Quando as gônadas estão pouco ativas, abaixo do normal, observamos: timidez, apatia, frieza, infantilidade.

AS FUNÇÕES DO SEGUNDO CHAKRA

O segundo centro de energia também dá capacidade à alma para descobrir a sua individualidade, criando a partir da dualidade certa facilidade para perceber as suas próprias necessidades.

O maternalismo é um dom do segundo chakra. A ligação com aquilo que cerca, a capacidade de entender os outros, o acolhimento, vontade de nutrir materialmente os outros, o papel de mãe física ou espiritual, aquele que ensina ao inexperiente — todos esses são atributos maternais do segundo chakra.

A sensibilidade emocional é uma vibração constante dada pelo chakra umbilical. Tanto que, quando ele está desordenado, há muito choro. Em busca do equilíbrio, a pessoa quer ter conversas sobre os seus sentimentos, mas às vezes não escolhe e desabafa com qualquer um, na padaria, no posto de gasolina, despejando as suas emoções descontroladamente.

A manipulação é um resultado negativo de desordens no segundo chakra. Esse comportamento negativo pode manifestar-se em várias áreas da vida. Outros sintomas de disfunção que podem acontecer: histeria, competição, frieza.

Em relação aos dons espirituais, o segundo chakra é responsável pela sensibilidade mediúnica instintiva, a qual é característica do chamado médium espontâneo. Esse tipo de mediunidade é natural e quase sempre flui em pessoas que anteriormente nunca se interessaram pelo assunto, causando muitas vezes espanto ou medo. A mediunidade espontânea costuma apresentar-se pela primeira vez na puberdade, que é exatamente o período no qual as gônadas são mais atuantes.

As pessoas que têm uma sensibilidade mediúnica ligeira são capazes de perceber vibrações nos ambientes e nas pessoas com as quais estabelecem contato, podendo selecionar as que são positivas e as negativas.

Além da mediunidade instintiva, o chakra sacral é também responsável pelo dom de invocar. A invocação é uma capacidade de movimentar energias por meio de orações ou fórmulas mágicas. Um exemplo é a força que a prece das mães costuma ter — qual é o filho que não se sente seguro quando recebe uma bênção ou uma oração da sua mãe?

Quando o segundo chakra é bem desenvolvido, há muita facilidade para entender as mensagens do inconsciente. Não é por acaso que os bons psicólogos e psiquiatras apresentam esse centro de energia bem amplo e ativo.

Um outro dom que vem através do segundo centro de energia é o magnetismo. Esse dom é importantíssimo, pois o magnetismo regula o tipo de atração que exercemos sobre as outras pessoas. Nós convivemos, em última análise, com as pessoas que atraímos para a nossa vida.

Os relacionamentos de amor, trabalho, amizade, e outros, são todos regidos pela carga magnética de que dispomos. Um comerciante bem-sucedido tem bom magnetismo, pois é capaz de atrair muitos clientes para o seu estabelecimento comercial. Um casal feliz foi atraído mutuamente.

Da mesma maneira, o magnetismo descontrolado faz com que passemos a atrair para a nossa volta pessoas complicadas que nos causam alguma espécie de dano. Um amor infeliz começa assim. É o mau magnetismo que atrai o assaltante para a sua vítima.

Os fluidos negativos da infância costumam ficar armazenados neste chakra. Quem passou nos primeiros anos de vida, mais notadamente por volta dos oito anos de idade, por traumas, repressão, conflitos, ao chegar à fase adulta deve dar atenção ao estado do seu segundo chakra, para limpar o acúmulo energético negativo instalado.

Felizmente, o chakra do sacro tem capacidade para eliminar impurezas, até mesmo impurezas orgânicas, com certa facilidade. Esse é o ponto por onde saem os venenos do corpo material e espiritual. Ele costuma eliminar as impurezas psíquicas através dos sonhos. O chakra sacral elimina geralmente as impurezas físicas através de muco.

AVALIAÇÃO DO SEGUNDO CHAKRA

Como pudemos ver, esse é o chakra que pode dar-nos grande poder pessoal, desde que esteja bem harmonizado. Para analisar o estado do seu segundo chakra, sugerimos que faça uma observação, constatando se tem algumas das características relacionadas na pequena lista que segue. Assinale quais são comuns, mesmo que não seja sempre assim.

- [ ] tem sentido insegurança ou medo sem uma razão aparente
- [ ] costuma negar-se alguns pequenos prazeres
- [ ] bebe pouca água
- [ ] não gosta de reuniões e vida social
- [ ] já teve colite, diverticulite ou apendicite
- [ ] doenças no útero, ovários, próstata ou seios
- [ ] problema de fertilidade
- [ ] passou por trauma ou repressão na infância

[ ] só atrai para perto de si pessoas complicadas
[ ] não consegue acolher ou ser afável
[ ] tem pouca flexibilidade física e emocional
[ ] já teve experiência com sexo que considera negativa ou vã
[ ] disfarça emoções com frieza ou indiferença
[ ] ainda não encontrou uma parceria sexual satisfatória
[ ] às vezes tem comportamento histérico
[ ] é maternal em excesso
[ ] usa recursos para obrigar os outros a fazer o que você quer
[ ] é competitivo por natureza
[ ] usa de sedução
[ ] tem forte magnetismo

Nesse pequeno teste, criamos condições para que você possa perceber como está o estado de funcionamento do seu segundo chakra. Se prestar atenção às opções expostas, vai notar que cada um dos itens indica uma maneira através da qual o chakra sacral é alterado negativamente.

As primeiras quatro opções indicam situações que geram uma desaceleração do chakra. São elas: falta de socialização, negação de prazeres, pouca água no organismo, insegurança.

As últimas quatro opções indicam situações nas quais acontece o oposto, que é a aceleração das funções do segundo chakra. São elas: muita competição, manipulação, sedução, magnetismo exagerado.

As situações que originam bloqueios são: sexo mal direcionado, sufocar emoções, trauma ou repressão na infância, pouca flexibilidade, histeria.

No corpo físico as alterações mais comuns, que denotam um chakra atingido, são: colite, diverticulite, apendicite, problema de fertilidade, problemas nos ovários, próstata, útero ou seios, desordens na excreção, candidíase.

Percebendo alguma das alterações relacionadas como disfunção do segundo chakra, você sabe que há alguma alteração nesse centro de energia. Quanto mais pontos tiver assinalado na relação acima, maior é a possibilidade de estar com o seu chakra umbilical em desarmonia. Faça a sua avaliação:

1. Se você marcou menos de 5 itens variados, mesmo que não estejam numa sequência, está com um grau de comprometimento moderado no segundo chakra, o que pede atenção. Para recuperar, dê início a um processo de modificação interior, alterando os atos, pensamentos ou emoções que constatou estarem lhe fazendo mal. Não se preocupe se teve até 5 pontos assinalados, tente apenas mudar para melhor.
2. Se marcou 10 ou mais itens, o seu segundo chakra está definitivamente bloqueado. Para recuperá-lo, siga os procedimentos indicados, pois eles são capazes de realizar uma boa limpeza no centro de energia.
3. Se assinalou algum dos quatro últimos itens, que são específicos, está com o seu segundo chakra muito acelerado. Quanto maior o número de itens marcados, maior a aceleração. Para recuperar as funções do chakra, é necessário seguir os procedimentos indicados, pois realizam a desaceleração do centro de energia.
4. Se assinalou algum dos quatro primeiros itens, está com os movimentos do seu segundo chakra muito lentos. Quanto mais itens marcou, maior a desaceleração. Para recuperar o centro energético, é necessário seguir o roteiro que contém sugestões para realizar a ativação do centro de energia.

5. Se assinalou desordens físicas, você está na fase seguinte à da simples alteração dos centros de energia. A ordem das alterações geradas é a seguinte: primeiro o chakra desordena-se, depois o corpo físico adoece. Para recuperar o seu chakra, siga os procedimentos indicados como capazes de proceder à limpeza do segundo chakra e em seguida faça a sequência de preces do PAI-NOSSO, para alinhar os chakras, tal como está sugerido no último capítulo.

ROTEIROS PARA TRATAMENTO DO SEGUNDO CHAKRA

Lembramos sempre que para qualquer caso de desordem do chakra, o indivíduo precisa se envolver totalmente com o processo de cura, estando disposto a fazer os exercícios indicados durante um certo período de tempo, todos os dias.

Para acompanhar os roteiros seguintes, basta executar os procedimentos que estão descritos, durante dez dias.

1º caso: quando o chakra está bloqueado:

Nesse caso as funções do chakra estão anuladas e as energias não são distribuídas pelo sistema, com resultado de enfraquecimento geral. Convém entender os fatores já citados como causas do bloqueio, para não voltar a fechar o chakra. No momento é preciso promover uma limpeza no centro de energia, após a qual a tendência do chakra é retomar as suas plenas capacidades, espontaneamente.

Durante 10 dias, tome o floral de Bach chamado WALNUT, que é preparado em farmácias de manipulação. WALNUT ajuda a restabelecer a individualidade e promove uma boa limpeza energética, sendo a sua ação perfeita para desbloquear o chakra atingido. Convém alertar para o seguinte: quando usamos um floral que faz limpeza energética, ele costuma causar, nos primeiros dias, uma limpeza física. Esse processo apresenta-se geralmente como tosse, coriza, comichão, vontade de chorar ou gritar. Não se preocupe, uma vez que não terá todas essas manifestações ao mesmo tempo e elas duram apenas dois ou três dias, depois desaparecem espontaneamente. Isso é normal e benéfico, é energia de baixa qualidade que se dissipa.

A dosagem do remédio floral varia de acordo com a intensidade do bloqueio. Para um bloqueio leve, tomar 3 gotas, 3 vezes ao dia. Para um bloqueio moderado, a dosagem certa é de 4 gotas, 4 vezes ao dia. Para um bloqueio acentuado, o ideal é tomar 5 gotas do floral, 5 vezes ao dia.

Durante os dias em que estiver tomando o floral, fará também um tratamento de cromoterapia. Esse tratamento pode ser feito de modo bem simples. Coloque no seu quarto luz verde e fique deitado, exposto a essa luz durante meia hora. As lâmpadas verdes são fáceis de encontrar, mas se não tiver uma dessa tonalidade, há outras maneiras para se obter luz verde. Você pode colocar um tecido da cor desejada cobrindo um abajur ou encontrar uma forma de envolver a luz do teto de tal maneira que produza essa tonalidade. Se for de dia, um tecido dessa cor pode cobrir a janela, como uma cortina. A cromoterapia com a cor verde, que está sugerida, pode ser feita por um terapeuta especializado, se isso for do seu interesse.

A seguir ao banho de luz com a cor, faça a oração do PAI-NOSSO, repetindo-a sete vezes. Cada vez que disser o texto relativo ao segundo chakra — SEJA FEITA A VOSSA VONTADE, ASSIM NA TERRA COMO NO CÉU — mentalize, de olhos fechados, que há um raio de luz verde, muito limpa, incidindo sobre este centro de energia, cuja posição é na região logo abaixo do umbigo.

Quem pratica ou aprecia as práticas de ioga, pode fazer, após as preces, um exercício com a postura da cobra, também chamada de *bujangasana*. Deite-se de barriga para baixo (decúbito ventral), com as mãos apoiadas à altura dos ombros. Inspire e erga o tronco, sempre bem apoiado nas mãos. Quando estiver com os braços estendidos, fique algum tempo parado, com os pulmões cheios. Quando precisar, solte o ar e desça o tronco suavemente. Se quiser, repita mais uma ou duas vezes. Há um desenho que mostra, de forma esquemática, como é essa postura; encontre-o no ANEXO I do livro.

Ao terminar, entoe o mantra VAM, lentamente. Este é o som que estimula as funções do segundo chakra.

Repita diariamente o banho de luz verde, a oração e o mantra, durante os dez dias em que estiver tomando o floral WALNUT. Ao terminar o tratamento sentirá que o seu segundo chakra está limpo e desbloqueado.

2º caso: quando o chakra está acelerado:

Aceleração indica que o chakra apresenta concentração de energia. Isso acontece por diversos motivos, mas as causas mais comuns são a competição, sedução, manipulação, muito uso do magnetismo.

O centro do sacro precisa ser desacelerado por meio de um tratamento que acalme os seus movimentos, depois disso ele retomará normalmente as suas funções. Siga as nossas sugestões.

Durante 10 dias tome o floral de Bach chamado CERATO, que é preparado em farmácias de manipulação. CERATO ajuda a ouvir a voz da alma, ele promove uma suave e gradual desaceleração, ajudando o segundo chakra a retornar ao padrão de vibração ideal.

A dosagem do remédio floral varia de acordo com a intensidade da aceleração apresentada. Para um estado de aceleração leve, deve-se tomar 3 gotas, 3 vezes ao dia. Para o caso de apresentar aceleração moderada, a dosagem é de 4 gotas, 4 vezes ao dia. Para aceleração acentuada, o ideal é tomar 5 gotas do floral, 5 vezes ao dia.

Durante os dias em que estiver tomando o floral, fará também um tratamento de cromoterapia com a vibração azul. Esse tratamento pode ser feito de modo bem simples. Fique deitado, exposto à luz azul durante cerca de meia hora. A luz azul tem a capacidade de desacelerar o segundo chakra. As lâmpadas azuis são encontradas com facilidade. Se for de dia, é necessário escurecer o quarto com uma cortina. A cromoterapia com luz azul pode ser feita por um terapeuta especializado, se for do seu interesse.

A seguir ao banho de luz azul, faça a oração do PAI-NOSSO, repetindo-a sete vezes. Cada vez que disser o texto relativo ao segundo chakra — SEJA FEITA A VOSSA VONTADE, ASSIM NA TERRA COMO NO CÉU — mentalize, de olhos fechados, um raio de luz dessa tonalidade incidindo sobre este centro de energia, localizado na região do umbigo.

Quem pratica ou aprecia ioga, pode fazer, ao terminar as orações, uma postura de ioga que ajuda a desacelerar o segundo chakra. Para fazer o exercício, deite-se com as costas no chão (decúbito dorsal), mantendo os braços ao lado do corpo. Dobre as pernas para apoiar os pés no chão. Inspire e erga os quadris o mais alto possível. Mantenha a posição o tempo que puder, respirando calmamente. Quando se cansar, desça o tronco. Essa postura faz com que os órgãos internos retomem a sua localização normal dentro do ventre. Você encontra um desenho esquemático desta postura no ANEXO I do livro.

Há outra postura de ioga que é muito boa para desacelerar o segundo chakra. Ela é feita de pé. Fique com os pés separados, coloque as mãos na cintura e gire o tronco, fazendo um círculo imaginário com os quadris. Gire para um lado duas vezes e depois para o outro mais duas vezes. Os pés permanecem imóveis.

Ao terminar a atividade de ioga, entoe o mantra do segundo chakra: VAM, lentamente.

Repita diariamente o banho de luz, a oração e o mantra, durante os dez dias em que estiver tomando o floral CERATO. Ao terminar o tratamento sentirá que o seu segundo chakra se restabeleceu, voltando a movimentar-se adequadamente.

3º caso: quando o chakra está desacelerado:

Nesse caso, o chakra apresenta perda de energia, por não ter feito uso das vibrações que lhe foram dirigidas. Talvez essa desaceleração seja por beber pouca água, ter insegurança ou medo, negar prazeres a si mesmo, não se relacionar com as pessoas, ficando isolado muitas horas.

Quando o chakra sacral está desacelerado, precisa ser ativado por meio de um tratamento que acelere os seus movimentos, depois do que retomará normalmente as suas funções.

Durante 10 dias tome o floral de Bach chamado CHICORY, que é preparado em farmácias de manipulação. CHICORY é o floral da doação da Grande Mãe Universal, ele promove suave e gradual aceleração do segundo chakra, fazendo-o retornar ao padrão energético ideal.

A dosagem do remédio floral varia de acordo com a intensidade da desaceleração presente. Para um estado de desaceleração leve, deve-se tomar 3 gotas, 3 vezes ao dia. Para o caso de apresentar desaceleração moderada, a dosagem é de 4 gotas,

4 vezes ao dia. Para desaceleração acentuada, o ideal é tomar 5 gotas do floral, 5 vezes ao dia.

Durante os dias em que estiver tomando o floral, fará também um tratamento de cromoterapia com a vibração da cor laranja, que é ativadora. Coloque no seu quarto luz laranja e fique deitado, exposto a essa luz durante meia hora. Essa é uma cor que atua muito positivamente no segundo chakra. Se não for fácil encontrar uma lâmpada que tenha luz laranja, há outras maneiras para se obter luz dessa cor. Você pode colocar um tecido dessa tonalidade cobrindo um abajur ou, se for de dia, um tecido laranja pode cobrir a janela, como uma cortina. A cromoterapia com laranja que sugerimos pode ser feita por um terapeuta especializado, se for do seu interesse.

A seguir ao banho de luz laranja, faça a oração do PAI-NOSSO, repetindo-a sete vezes. Cada vez que disser o texto relativo ao segundo chakra — SEJA FEITA A VOSSA VONTADE, ASSIM NA TERRA COMO NO CÉU — mentalize, de olhos fechados, que há um raio de luz laranja, bem forte, incidindo sobre o centro de energia que fica na região do umbigo.

Quem pratica ou aprecia ioga, pode fazer uma postura de ioga que é excelente para estimular o segundo chakra. Sentado, apoie as mãos nas coxas, com as palmas voltadas para cima. Una os polegares, pressionando a ponta do polegar direito na ponta do polegar esquerdo. Permaneça assim durante uns quinze minutos. Esta postura pode ser mantida até quarenta minutos, mas não fique tenso nem faça força. Ela traz muitos benefícios para o segundo centro de energia. Ao terminar o exercício, vocalize o mantra VAM, que é regularizador do chakra do umbigo, emita o mantra bem lentamente.

Repita diariamente o banho de luz laranja, a oração e o mantra, durante os dez dias em que estiver tomando o floral CHICORY. Ao terminar o tratamento sentirá que o seu segundo chakra se restabeleceu, voltando a movimentar-se adequadamente.

4º caso: quando há reflexos físicos:
Os problemas físicos aparecem quando o chakra fica desordenado durante muito tempo. Eles também podem surgir quando se estabelece uma situação crônica de desordem, por sucessivas atitudes de agressão ao centro de energia.

Para tratar os sintomas físicos, você deve procurar um médico, pois apenas ele dirá com precisão qual o tratamento para cada caso.

Quando o segundo chakra está desequilibrado, o corpo pede líquido; o melhor é beber muita água.

No entanto, pode-se fazer uma avaliação através do pequeno teste deste capítulo, para ter noção do estado do chakra, verificando se ele está bloqueado, acelerado ou desacelerado. A partir dessa constatação, não há nenhum problema em seguir as indicações relativas ao tratamento do chakra. O tratamento com florais, luz e prece pode acompanhar os procedimentos médicos sem que haja interferência. Na verdade, as energias da luz, prece e florais costumam reforçar a ação dos remédios e de outros procedimentos médicos.

MEDITAÇÃO PARA O SEGUNDO CHAKRA:

Na luz do Senhor, Suadhistana é fortalecido. A minha ligação com Deus é um desejo profundo, que vem da minha alma. Refaço essa ligação por vontade consciente. Que ela aconteça com o amparo do Pai, do Filho e da Mãe. A luz laranja da fertilização é o presente que recebo. No meu ser a fome é eliminada pela nutrição, a solidão é afastada pelo encontro com almas afins, a criança é acalentada. Na luz permaneço por graça e desejo do Pai. A Vontade de Deus vem a mim nas águas da fluidez divina.

EXPERIÊNCIAS QUE EXPANDEM O SEGUNDO CHAKRA:
- Num dia seco, regar a relva e as plantas de um jardim.
- Em dia de lua cheia, tomar banho no rio ou no mar.
- Visitar um berçário de hospital.

O pão nosso de cada dia nos dai hoje

O TERCEIRO CHAKRA

A quarta afirmação da oração do Pai é uma alusão direta ao ponto chave do terceiro centro de energia, o chakra do plexo solar — a alimentação. Ao suplicar por alimento, o Filho mostra ao Pai a sua dependência, colocando Deus como única fonte de nutrição.

Aqui se considera todas as formas de pão que Deus tem para oferecer. Como este é um centro de energia material, o pão está diretamente relacionado, em primeiro lugar, com a nutrição física, a qual o Filho entende como sendo existente por graça divina.

Há o pão que alimenta a mente, que lhe dá a nutrição do conhecimento, através de um caminho que permite chegar à sabedoria, o que acontece quando se faz uso inteligente do saber.

E há também o pão da alma, que é oferecido ao fiel durante o sacramento da comunhão, que é o corpo de Cristo.

O simbolismo do pão não é a única consideração a fazer sobre a quarta afirmação. Esta contém uma indicação de tempo, pois a súplica é feita para o dia presente, o suplicante diz claramente que quer o alimento para hoje. Essa colocação denota uma certa urgência, uma vez que não contém a confiança que estava presente na afirmação anterior, na qual tudo ficava entregue à vontade de Deus. É como se a pressão da matéria fosse grande, quando se trata de abastecer o corpo material e espiritual. Como súplica material, a oração apresenta a sua necessidade, indicando pressa, e, além da urgência, indica também a certeza da renovação da graça, pois diz que o pão é para cada dia. O nome do terceiro chakra é MANIPURA, mas ele também é conhecido por outros nomes: esplênico, diafragmático, plexo solar.

A sua principal função é a da assimilação, que inclui o processamento que leva à transformação. No plano físico, é no terceiro chakra que a matéria é assimilada e transformada. No plano espiritual, é no plexo solar onde os venenos são assimilados ou eliminados.

Como último chakra material, Manipura é muito ativo. Sob a sua regência, a variação dos níveis de energia são frequentes. O poder deste chakra vem do sol e da luz, que o expandem consideravelmente, a ponto de ele invadir, em alguns momentos, os espaços dos dois chakras adjacentes: o segundo e o quarto.

A grande lição dada por este centro de energia está relacionada com o ego e a personalidade. Os dois podem crescer, mas não podem transformar-se numa ameaça. E com Manipura há sempre o risco do descontrole, pois o seu elemento é o fogo, que destrói aquilo com que tem contato. Toda a energia bem direcionada gera poder, se o fogo do terceiro chakra for usado para aquecer. Não se transformando em orgulho e outras formas de exaltação do ego, a força do plexo é capaz de resultar em realizações surpreendentes.

Este chakra está localizado na boca do estômago. Ele marca o limite das influências materiais sobre a alma. Os chakras acima do plexo são chakras espirituais. Os dois chakras inferiores precisam da passagem do terceiro chakra para que a energia divina possa influenciar o corpo material.

Manipura distribui e purifica as energias com as quais o corpo físico e o corpo espiritual se conectam. Ele abastece os chakras inferiores com a correta irrigação prânica e ajusta o aproveitamento de todos os nutrientes.

Todos os fluidos em excesso são eliminados por este chakra — ele expulsa as energias negativas. Ao mesmo tempo, age facilitando a absorção dos bons fluidos. As energias corretivas necessárias fazem entrada no organismo por esse centro de energia.

A sintonia espontânea com todo o tipo de vibrações afeta muito o plexo e o espiritualista é quem mais sofre de problemas nessa área.

O PÂNCREAS E O BAÇO

As glândulas viscerais que estão relacionadas com o terceiro chakra são o pâncreas e o baço.

O pâncreas está localizado perto do fígado. Ele tem duas secreções, uma é a insulina, que é interna, e outra secreção externa, que é liberada no duodeno e auxilia na digestão. O pâncreas funciona em ligação com a glândula tireoide (do quinto chakra) e com as suprarrenais (do primeiro chakra), formando o triângulo de energias conhecido como canal de comunicação com a terra.

As disfunções do pâncreas produzem muitas alterações. Quando ele está ativo além do normal os reflexos são: avidez, desejo de vingança, emotividade. Quando o pâncreas está pouco ativo, abaixo do normal, observamos: excitabilidade, impaciência, exaltação.

O baço está localizado logo após o final do estômago, entre este e o diafragma. Ele tem a forma de um feijão, é azulado. É a maior glândula de secreção interna, responsável pela distribuição do sangue. Ele armazena o ferro, ajuda na digestão e fabrica células para o sangue. É o ponto de entrada da energia solar, que distribui e guarda. O corpo material e o corpo espiritual estão unidos pelo cordão que passa através do baço. Durante a saída do corpo físico, quando o corpo espiritual faz a chamada viagem astral, é o baço que mantém a ligação entre os dois corpos.

Este corpo glandular pode ser retirado, pois há no corpo sutil outro órgão semelhante e plenamente funcional que compensa a falta do órgão físico.

AS FUNÇÕES DO TERCEIRO CHAKRA

Este centro de energia pode ajudar a evitar as mortes por causas cardíacas, que são muito comuns nos espiritualistas. A grande dificuldade em certos momentos de evolução espiritual é transpor as energias alojadas no plexo para o centro de energia cardíaco, pois isto implica doar aquilo que foi conquistado com muito esforço.

Por não entregar com coração amoroso os seus valiosos bens, o coração fica frio (não recebe o aquecimento da força solar do sangue do plexo) e adoece. Esotericamente essa é a causa dos enfartes e de outras doenças cardíacas. Amar e doar cura o coração, quem ensina o que sabe ou entrega de boa vontade uma parcela dos seus bens, está protegendo o seu coração.

Os dons espirituais do terceiro chakra são muitos. Os primeiros são o acesso à sabedoria e consciência do seu poder. O dom de cura é um atributo derivado da sabedoria, pois só pode curar a alma quem adquiriu conhecimento e sabe como aplicá-lo sem interferir no karma alheio. A capacidade de curar vem da luz irradiada pelo plexo.

Outro dom espiritual derivado da sabedoria é o controle dos desejos. Essa capacidade é mais um dos benefícios derivados da atividade do terceiro chakra. No segundo chakra o espiritualista faz as suas escolhas, no terceiro ele aceita, digere as situações. Os desejos nascem e amadurecem no segundo chakra, ali a pessoa tem que fazer as suas primeiras escolhas, para depois poder usufruir da força solar do plexo.

Todo espiritualista que dá oportunidade ao amor incondicional, permitindo que ele se instale no seu coração, vivencia primeiramente problemas na região do plexo, mais acentuadamente no estômago. A razão disso é porque o amor, que era uma força de magnetismo e vibrava no segundo chakra, quando a alma evolui passa a vibrar no quarto chakra. Para que a poderosa energia do amor faça a sua ascensão, ela cruza pelo plexo e esse instante é sempre crítico para o corpo físico.

O amor que traz compensações físicas e emocionais faz vibrar o segundo chakra. O amor que traz necessidade de compaixão e partilha vibra no quarto chakra. A alquimia da transformação do amor dá-se no terceiro chakra, é ali que o amor que tem interesse é queimado e torna-se amor desinteressado.

Os resultados das transformações vibratórias da energia do amor aparecem no terceiro chakra como energias de paz, confiança, generosidade, equilíbrio, ética, organização e boa capacidade para o trabalho em comum.

No plano espiritual, a recordação de vidas passadas e viagens astrais seguras são beneficiadas pelas energias do terceiro chakra. A vibração luminosa do plexo solar mantém o corpo físico bem conectado com a terra, não permitindo que as experiências extrafísicas se transformem em algo perigoso.

Se está mal harmonizado, o chakra esplênico leva a pessoa a fazer uso incorreto do poder. Ela não coopera ou é submissa. Diz sim quando quer dizer não, mas às vezes faz o contrário, intimidando para impor a sua vontade.

Esse chakra é ferido com muita facilidade pela crítica, pela rejeição, pelo medo de parecer tolo. Quando ele está desordenado, a pessoa tem reflexos no comportamento que a levará a não admitir os seus erros, ceder para obter aprovação, fugir de responsabilidades, desejar uma vida diferente, achar que tem uma personalidade fraca.

AVALIAÇÃO DO TERCEIRO CHAKRA

Para analisar o estado de seu terceiro chakra, sugerimos que faça uma observação, constatando se tem algumas das características relacionadas na pequena lista que segue. Assinale quais são comuns, mesmo que não seja sempre assim.

[ ] sofreu recentemente algum tipo de rejeição
[ ] tem apanhado pouco sol, fica muito tempo em lugares sem sol
[ ] não gosta, mas tem sido submisso
[ ] passou por intimidação, está triste
[ ] tem má digestão
[ ] é guloso
[ ] é permanentemente crítico
[ ] faz uso de drogas ou álcool
[ ] fica irado com facilidade, tem muita raiva guardada
[ ] o seu metabolismo está alterado
[ ] tem úlcera gástrica ou gastrite
[ ] os outros invadem o seu espaço com facilidade
[ ] tem problemas no cólon
[ ] cede com facilidade para obter aprovação
[ ] fragilidade ou doença nos rins, fígado, baço, pâncreas
[ ] nunca admite os seus erros
[ ] ultimamente tem estado muito vaidoso
[ ] tem necessidade constante de defesa material ou espiritual
[ ] absorve energia da natureza (prana) em excesso
[ ] o seu *ego* está exaltado, é orgulhoso.

Nesse pequeno teste, criamos situações para que você possa perceber como está o estado de funcionamento do seu terceiro chakra. Se prestar atenção às opções expostas, vai notar que cada um dos itens indica uma maneira pela qual o chakra do plexo é alterado negativamente.

As primeiras quatro opções indicam situações que geram uma desaceleração do chakra. São elas: falta de sol, intimidação, submissão, rejeição.

As últimas quatro opções indicam situações nas quais acontece o oposto, que é a aceleração das funções do terceiro chakra. São elas: ego exaltado, vaidade, defesa em excesso, absorção exagerada de prana.

As situações que originam bloqueios são uso de álcool ou drogas, ira, orgulho, inveja, falta de cooperação, tristeza.

No corpo físico as alterações mais comuns, que denotam um chakra atingido, são: problemas no fígado, rins, pâncreas, cólon, úlcera gástrica, gastrite, metabolismo alterado.

Percebendo as opções relacionadas como disfunção do terceiro chakra, já pode ser considerada uma provável alteração nesse centro de energia. Quanto mais pontos tiver assinalado na relação anterior, maior é a possibilidade de estar com o seu chakra esplênico em desarmonia. Faça a sua avaliação, segundo a contagem que teve:

1. Se marcou menos de 5 itens variados, sem ser numa sequência, está com um grau moderado de comprometimento do terceiro chakra, o que pede atenção. Para recuperar o centro de energia atingido, dê início ao processo de modificação interior necessário, corrigindo os atos, pensamentos ou emoções que você constatou que estão lhe fazendo mal. Não se preocupe se teve até 5 pontos assinalados, apenas fique atento.

2. Se marcou 10 ou mais itens, o seu terceiro chakra está bloqueado, com certeza. Para recuperá-lo, siga os procedimentos indicados como capazes de realizar uma limpeza do centro de energia.
3. Se assinalou algum dos quatro últimos itens, está com o seu terceiro chakra muito acelerado. Quanto mais itens marcou, maior a aceleração. Para recuperar as funções, é necessário seguir os procedimentos indicados como capazes de realizar a desaceleração do centro de energia.
4. Se assinalou algum dos quatro primeiros itens, está com os movimentos de seu terceiro chakra muito lentos. Quanto mais itens marcou, maior a desaceleração. Para recuperar as funções, é necessário seguir os procedimentos indicados como capazes de realizar a ativação do centro de energia.
5. Se assinalou desordens físicas, está na fase seguinte à da simples alteração do centro de energia. Lembre-se: primeiro o chakra desordena-se, depois o corpo físico adoece. Para recuperar o seu chakra, siga os procedimentos indicados como capazes de proceder à limpeza do terceiro chakra e em seguida faça a sequência de preces do PAI-NOSSO, tal como está sugerido no último capítulo, que ensina como alinhar os chakras.

ROTEIROS PARA TRATAMENTO
DO TERCEIRO CHAKRA:

Todo roteiro de tratamento, para qualquer caso de desordem do chakra, precisa ter uma condição essencial atendida, sem a qual os resultados estarão comprometidos. E essa condição é que o indivíduo se envolva totalmente com o processo de cura, estando disposto a fazer os exercícios indicados durante um certo tempo.

Para acompanhar os roteiros seguintes, basta dedicar-se durante dez dias às práticas sugeridas.

1º caso: quando o chakra está bloqueado:

Neste caso as funções do chakra estão anuladas e as energias não são distribuídas pelo sistema, que está enfraquecendo como um todo. Há necessidade de promover uma limpeza no centro de energia, após a qual a tendência do chakra é retomar as suas capacidades espontaneamente.

Durante 10 dias, tome o floral de Bach chamado CRAB APPLE, que é preparado em farmácias de manipulação. CRAB APPLE é o floral que expulsa energias invasivas, ele promove uma boa limpeza energética, sendo eficaz para limpar o chakra atingido. Alertamos para o seguinte: quando usamos um floral para limpeza energética, ele pode causar, nos primeiros dias, uma limpeza física, que se apresenta como tosse, coriza, comichão, vontade de chorar ou gritar. Não se preocupe, essas manifestações não aparecem todas ao mesmo tempo e elas duram apenas dois ou três dias, depois desaparecem espontaneamente.

A dosagem do remédio floral varia de acordo com a intensidade do bloqueio. Para um bloqueio leve, deve-se tomar 3 gotas, 3 vezes ao dia. Para um bloqueio moderado, a dosagem é de 4 gotas, 4 vezes ao dia. Para um bloqueio acentuado, o ideal é tomar 5 gotas do floral, 5 vezes ao dia.

Durante os dias em que estiver tomando o floral, fará também um tratamento de cromoterapia. Esse tratamento pode ser feito de modo bem simples. Coloque no seu quarto luz azul e fique deitado, exposto a essa luz durante meia hora. Se não encontrar uma lâmpada que tenha luz nessa tonalidade, há outras maneiras para se obter luz dessa cor. Você pode colocar um tecido azul sobre um abajur. Se for de dia, um tecido dessa cor pode cobrir a janela, como uma cortina. A cromoterapia com a tonalidade azul que sugerimos pode ser feita por um terapeuta especializado, se achar mais prático.

A seguir ao banho de luz com a cor azul, faça a oração do PAI-NOSSO, repetindo-a sete vezes. Cada vez que disser o texto referente ao terceiro centro de energia — O PÃO NOSSO DE CADA DIA NOS DAI HOJE — mentalize, de olhos fechados, que há um raio de luz azul incidindo sobre este chakra, cuja posição é na altura do estômago.

Quem pratica ou quer fazer ioga para desbloquear o terceiro chakra, fará o seguinte exercício: sente-se confortavelmente, com as mãos apoiadas nas coxas, com as palmas para cima. Faça uma pressão com a ponta do dedo polegar sobre a ponta do dedo mínimo, em cada mão. Mantenha a pressão sem forçar, para não gerar cansaço. Essa postura é um mudra, uma posição que estimula a limpeza do centro de energia que está bloqueado. Faça isso durante pelo menos quinze minutos, sempre após as preces. Pode chegar até quarenta minutos. Entoe, ao terminar, o mantra RAM, lentamente.

Repita diariamente o banho de luz azul, a oração e o mantra, durante os dez dias em que estiver tomando o floral CRAB APPLE. Ao terminar o tratamento, sentirá que o seu terceiro chakra está limpo e desbloqueado.

2º caso: quando o chakra está acelerado:

Nesse caso, o chakra apresenta concentração de energia. Isso acontece por diversos motivos, mas é principalmente por estar ativando as suas defesas em excesso, tem tido atitudes de vaidade, está com o ego exaltado ou absorve prana em excesso.

O centro diafragmático precisa ser desacelerado por meio de um tratamento que acalme os seus movimentos, depois do que retomará normalmente as suas funções.

Durante 10 dias tome o floral de Bach chamado GENTIAN, que é preparado em farmácias de manipulação. GENTIAN ensina a trilhar o caminho do meio, ele promove suave e gradual desaceleração, ajudando o terceiro chakra a retornar ao padrão energético ideal. A dosagem do remédio floral varia de acordo com a intensidade da aceleração verificada. Para um estado de aceleração leve, deve tomar 3 gotas, 3 vezes ao dia. Para o caso de apresentar aceleração moderada, a dosagem é de 4 gotas, 4 vezes ao dia. Para aceleração acentuada, o ideal é tomar 5 gotas do floral, 5 vezes ao dia.

Durante os dias em que estiver tomando o floral, fará também um tratamento de cromoterapia com a vibração verde. Esse tratamento pode ser feito de modo bem simples. Fique deitado, exposto à luz verde durante meia hora. A luz dessa cor tem a capacidade de desacelerar o terceiro chakra. As lâmpadas verdes são encontradas com facilidade. Se for de dia, é necessário escurecer o quarto com uma cortina. A cromoterapia com a luz indicada pode ser feita por um terapeuta especializado, caso faça essa opção.

A seguir ao banho de luz verde, faça a oração do PAI-NOSSO, repetindo-a sete vezes. Cada vez que disser o texto relativo ao terceiro chakra — O PÃO NOSSO DE CADA DIA NOS DAI HOJE — mentalize, de olhos fechados, um raio de luz da mesma tonalidade incidindo sobre este centro de energia, localizado na área do estômago.

Quem pratica ou aprecia ioga, pode fazer, ao terminar as orações, uma postura de ioga que ajuda a desacelerar o terceiro chakra. Sente-se com a coluna ereta e coloque as mãos, com os dedos cruzados, sobre a região do estômago. Com a boca fechada, inspire e expire lentamente, várias vezes. Fique assim bastante tempo, fazendo respirações profundas; isso vai acalmar a intensidade dos batimentos do seu coração e vai gerar um grande bem-estar, pois fecha a entrada de vibrações pelo plexo por alguns momentos.

Quando sentir que está em harmonia, desfaça a posição. Em seguida, entoe o mantra RAM, lentamente.

Repita diariamente o banho de luz, a oração e o mantra, durante os dez dias em que estiver tomando o floral GENTIAN. Ao terminar o tratamento sentirá que o seu terceiro chakra se restabeleceu, voltando a movimentar-se adequadamente.

3º caso: quando o chakra está desacelerado:
Nesse caso, o chakra apresenta perda de energia, por não ter feito uso das vibrações que lhe foram dirigidas. Talvez essa desaceleração aconteça porque você sofreu intimidação ou rejeição, está sendo submisso ou apanha pouco sol.

Quando o chakra esplênico está desacelerado, precisa ser ativado por um tratamento que acelere os seus movimentos, depois do que retomará normalmente as suas funções.

Durante 10 dias tome o floral de Bach chamado ROCK ROSE, que é preparado em farmácias de manipulação. ROCK ROSE é o fogo central, capaz de promover uma suave e gradual aceleração, ajudando o terceiro chakra a retornar ao padrão energético ideal.

A dosagem do remédio floral varia de acordo com a intensidade da desaceleração presente. Para um estado de desaceleração leve, deve tomar 3 gotas, 3 vezes ao dia. Para o caso de apresentar desaceleração moderada, a dosagem é de 4 gotas, 4 vezes ao dia. Para desaceleração acentuada, o ideal é tomar 5 gotas do floral, 5 vezes ao dia.

Durante os dias em que estiver tomando o floral, fará também um tratamento de cromoterapia com a vibração da cor amarela. Coloque no seu quarto luz amarela e fique deitado, exposto a essa luz durante meia hora. O amarelo é uma cor que atua muito positivamente no terceiro chakra. É fácil encontrar uma lâmpada que tenha luz dessa cor, mas há outras maneiras para se obter essa luz. Você pode colocar um tecido dessa tonalidade cobrindo um abajur ou a luz do teto de tal maneira que produza essa cor. Se for de dia, um tecido amarelo pode cobrir a janela, como uma cortina. A cromoterapia com o amarelo que sugerimos, também pode ser feita por um terapeuta especializado, se preferir.

A seguir ao banho de luz indicado, faça a oração do PAI-NOSSO, repetindo-a sete vezes. Cada vez que disser o texto relativo ao terceiro chakra — O PÃO NOSSO DE CADA DIA NOS DAI HOJE — mentalize, de olhos fechados, que há um raio de luz amarela, bem forte, incidindo sobre o centro de energia que fica no estômago.

Quem pratica ou aprecia ioga, pode fazer uma postura de ioga que estimula o terceiro chakra. O nome dessa postura é «pinça». Sente-se no chão, com as pernas esticadas. Erga os braços estendidos acima da cabeça e em seguida vá baixando os braços, enquanto inclina o tronco para a frente, como se quisesse tocar os pés com as pontas dos dedos das mãos.

Quando alcançar o ponto máximo de flexão que lhe é possível, pare e mantenha a postura, respirando curtinho. Permaneça assim o tempo que puder suportar sem esforço extremo, depois desfaça. Esta postura da ioga estimula o terceiro centro energético, com muitos benefícios. Há um desenho que mostra, de forma esquemática, como é essa postura; encontre-o no ANEXO I do livro. Ao terminar a postura, entoe o mantra RAM, lentamente.

Repita diariamente o banho de luz amarela, a oração e o mantra, durante os dez dias em que estiver tomando o floral ROCK ROSE. Ao terminar o tratamento você sentirá que o seu terceiro chakra se restabeleceu, voltando a movimentar-se adequadamente.

4º caso: quando há reflexos físicos:
Os problemas físicos aparecem quando o chakra fica desordenado durante muito tempo. Eles também podem surgir quando se estabelece uma situação crônica de desordem, por atitudes sucessivas de agressão ao centro de energia.

Para tratar os sintomas físicos, você deve procurar um médico, pois apenas ele poderá dizer com precisão qual o tratamento para cada caso.

Quando o plexo solar está desarmônico, o corpo físico pede alimentos amargos.

No entanto, pode-se fazer uma avaliação pelo pequeno teste deste capítulo, para ter noção do estado do chakra, verificando se está bloqueado, acelerado ou desacelerado. A partir dessa constatação, não há nenhum problema em seguir as indicações relativas ao tratamento do chakra. O tratamento com florais, luz e prece pode acompanhar os procedimentos médicos sem que haja interferência. Na verdade, as energias da luz, prece e florais costumam reforçar a ação dos remédios e de outros procedimentos médicos.

MEDITAÇÃO PARA O TERCEIRO CHAKRA:

Na luz do Senhor, Manipura é fortalecido. A minha ligação com Deus é um desejo profundo, que vem da minha alma. Refaço essa ligação por vontade consciente. Que ela aconteça com o amparo do Pai, do Filho e da Mãe. A luz dourada da assimilação é o presente que recebo. No meu ser, toda falta é abastecida, a carência é suprida pela fartura, a incerteza é afastada, o choro vira riso. Na luz permaneço por graça e desejo do Pai. O Sol de Deus vem a mim no fogo da vibração divina.

EXPERIÊNCIAS QUE EXPANDEM O TERCEIRO CHAKRA:

- Assistir a um filme muito engraçado, que faça rir bastante.
- Procurar na rua alguém com fome para lhe oferecer um prato de comida.
- Visitar uma joalheria para tocar em muito ouro.

Perdoai-nos as nossas ofensas, assim como nós perdoamos a quem nos tem ofendido

O QUARTO CHAKRA

A quinta afirmação da oração do Pai é capaz de desfazer as vibrações negativas da falta de amor. O perdão é a palavra chave desta súplica. E não se trata aqui apenas do perdão que Deus pode dar, mas do perdão mais difícil, que é aquele perdão que precisa do envolvimento da alma de cada um para acontecer.

Quando suplicamos ao Pai pelo perdão, já alcançamos o estágio evolutivo em que somos capazes de discernir e esse é um sinal positivo de que a semente da sabedoria já se instalou na nossa alma. Quem não tem entendimento, nem sequer percebe que errou. E é também nessa etapa do desenvolvimento que podemos fazer as correções mais sensíveis, com ajuda divina.

Ao pedir perdão a Deus encerramos o ciclo da ignorância e damos início ao ciclo da sensibilidade. Deste ponto em diante todo erro é mais nocivo, pois já discernimos o que é certo ou não. E justamente por isso, ao errar temos que suplicar pelo perdão do Pai, pois só Ele pode aliviar o tormento da alma que reconhece os seus erros.

Na segunda parte da súplica, afirmamos que somos capazes de imitar as qualidades divinas, perdoando também. Essa é a parte mais difícil, porque a alma ainda não está totalmente purificada e tem que se elevar para alcançar a imitação do ato divino.

Dar o perdão é condição essencial para a cura da alma. Quem não consegue perdoar envenena diariamente o seu quarto centro de energia com as vibrações desarmônicas do ódio, do desentendimento, da intolerância, da frieza. Nunca o ser humano morreu tanto por causa das moléstias originadas na região do quarto chakra — o coração, justamente porque a atitude atual é vingar-se e não dar o perdão.

As doenças do coração surgem por causa da dificuldade que a alma tem em perdoar. É mais fácil, e não afeta o ego, deixar que o ódio justifique os atos. Exercer a tolerância, a compaixão e a ternura é mais trabalhoso, por isso algumas almas nada fazem. As doenças cardíacas, uma das maiores causas de morte atualmente, fazem com que o coração bata cada vez mais lentamente. Acontece no corpo o que está dentro da alma: é o centro cardíaco que se imobiliza por inércia da alma.

Na prece do Pai há duas exortações ao perdão; deve haver uma razão muito importante para que assim seja. Convém ser feita uma reflexão profunda a respeito da função do perdão.

O nome do quarto chakra é ANAHATA, mas também é conhecido por outros nomes: chakra cardíaco ou chakra do coração. A sua principal função física é coordenar o sistema sanguíneo, a sua principal função mística é administrar o sistema prânico. Este último sistema é composto pelos canais que conduzem a energia absorvida em fontes sutis, que é chamada de energia prânica.

O prana está em toda a natureza, na água, no ar, na terra e no fogo, ele é a parte da vida não visível, cuja vibração é puramente divina. Ele entra no nosso organismo por meio dos raios solares, da água doce e salgada, da terra, das rochas e cristais, da respiração, das plantas.

A GLÂNDULA TIMO

A glândula timo está relacionada com o quarto chakra. O timo é chamado de glândula da pureza, pois está mais ativa na época da infância e vai diminuindo a sua atuação quando chega à fase adulta. Na verdade, o timo está plenamente ativo na época pré-natal e até os dois anos de idade, quando começa a diminuir a sua atuação, que é quase nula aos vinte e um anos. Talvez essa glândula vá se atrofiando no adulto, porque a característica dele é ser menos sensível.

O timo fica localizado na altura do coração, no meio do peito, onde está protegido pelo esterno. O timo também é resguardado por massa muscular, sendo coberto de tal maneira que é a glândula mais protegida do corpo humano.

Os hormônios segregados por essa glândula fazem com que o sistema nervoso e a massa cerebral infantis não funcionem com a carga plena do sistema adulto, embora tenham a mesma composição.

Ao ativar o timo, pelas práticas que estimulam a absorção prânica, indicadas no livro, é possível restabelecer parte da pureza e inocência que são presentes dessa glândula ao ser humano.

As imagens do Sagrado Coração de Jesus e do Sagrado Coração de Maria refletem exatamente a luminosidade da glândula timo, a qual, estando ativada, produz corpúsculos que brilham com uma luz maravilhosa. O fenômeno do coração chamejante não está relacionado com o coração físico, ele é um dom da alma que sabe perdoar e não tem combatividade. O timo, esse coração secreto, faz com que voltemos a ser crianças.

Esotericamente considerado como escudo, pois está guardando o peito, o timo tem papel na função defensiva do organismo. As pesquisas sobre os hormônios do timo demonstram que eles aumentam as defesas do sistema imunológico. Uma alma que está sempre irrigando o seu corpo com energias de baixa qualidade, principalmente com pensamentos vingativos, ressentimento, constante lembranças de desavenças passadas, abala a estrutura defensiva do organismo por atacar o timo. O resultado é que terá constantes infecções.

Quando muito estimulado, o timo dá uma emotividade excessiva, falta de vontade, timidez, tendência a relembrar o passado. Com pouca estimulação ele produz apatia e mente enfraquecida.

AS FUNÇÕES DO QUARTO CHAKRA

Este centro de energia realiza o intercâmbio e equilíbrio das emoções, gerando a capacidade de dar e receber amor. Não é só o amor entre um casal que é considerado, inclui-se nos dons do quarto chakra a capacidade total do amor, na qual cada ser é visto como um irmão, mãe ou pai.

As almas confiantes recebem esse dom por influência do centro cardíaco, que é responsável pela confiança e entrega a Deus. Este centro regula a capacidade de sintonizar o amor divino.

A tolerância é mais um dom do quarto chakra. Ser tolerante é julgar pouco os atos, palavras e pensamentos alheios que você apenas constata, buscando manter uma neutralidade.

Por estar localizado exatamente na fronteira que divide os chakras materiais dos centros espirituais, o quarto chakra tem a função de dirigir a consciência espiritual para o plano da matéria. Ele também direciona a consciência material para propósitos mais espirituais.

O coração faz a ligação espontânea com o mundo espiritual e os seus habitantes, sem que haja nessa busca interesse de nenhuma espécie. Pela sua influência, é possível canalizar guias e adquirir uma consciência crística, na qual o amor passa a ser o grande agente universal de cura.

Fonte de luz e amor, este centro possibilita a utilização da energia física disponível para uso de outros espíritos que não possuem corpo encarnado. É assim que quem não escreve bem torna-se escritor, quem não sabe curar realiza curas instantâneas e quem não sabe falar encanta plateias de ouvintes.

A fusão alquímica acontece no quarto chakra. Essa fusão consiste na união das forças superiores com as inferiores. Essa união é representada pela espiral mística. Para visualizar essa espiral, vamos sugerir que você a produza.

Sente-se numa posição em que possa deixar a coluna ereta. Posicione a ponta do dedo médio da sua mão direita a vinte centímetros do alto de sua cabeça, apontada para o alto. Em seguida, desça pelo lado esquerdo, passando sem tocar o ombro. Vá levando o dedo, formando a primeira curva da espiral, de modo que passe à altura da sua pélvis. Siga adiante, formando outra curva ampla, passando pelo ombro direito e subindo para passar tocando o centro da testa. Continue, descendo pela esquerda, passando a seguir pelo umbigo. Nesse ponto a espiral começa a definir-se, as curvas já são a partir daí bem menores. Do umbigo, ela sobe pelo lado direito e passa pela garganta, de onde desce pela esquerda para passar pelo estômago. Do estômago a curva da espiral dirige-se para o centro do peito, o coração. Repouse o dedo no centro cardíaco e faça uma respiração profunda.

Com a espiral mística observamos com clareza as correspondências existentes entre os chakras superiores e inferiores. O 1º chakra está ligado ao 7º chakra, o 2º chakra forma par com o 6º chakra, o 3º chakra relaciona-se com o 5º chakra.

A espiral mística demonstra de modo simples e preciso que as energias vindas de Deus (do alto) passam pelos centros de energia, mas tem como objetivo final a entrega ao centro do coração. No ANEXO I há um desenho no qual a espiral mística está representada.

É no chakra cardíaco que o espiritualista é atraído por um Mestre e é chamado a servir. Este chakra dá propósito à vida. Para manter este centro de energia bem estabilizado, é necessário acalmar as manifestações do ego, suprimir as condições de desarmonia, manter atitudes equilibradas e adquirir controle sobre os processos da respiração. Para equilibrar ações, a meditação é um recurso que pode ajudar e os exercícios respiratórios de ioga são capazes de dar ao corpo o controle da respiração.

As vibrações que ajudam a curar o coração são: exercer a compaixão, ter constante abertura para a vida, expressar os sentimentos positivamente, manifestar ternura, ligar-se ao amor divino quando não sentir amor nos homens, ter paciência e tolerância, exercitar o desapego, buscar a integração e o encontro com semelhantes, manter relações humanas corretas, procurar fontes de inspiração superiores, tais como arte e leituras. Não esquecer que demonstrar o seu amor é sempre a mais potente energia de cura.

As vibrações mais nocivas para o chakra cardíaco são: vontade de morrer, ter ideias suicidas, sentir vazio na alma e não procurar preenchê-lo, sentir ódio e expressá-lo em atos vingativos.

O corpo físico adoece muito rapidamente quando o quarto chakra está desarmônico. O coração é o primeiro ponto atingido. É interessante observar que as doenças localizadas no lado direito do coração estão relacionadas com problemas emocionais com o pai e as doenças localizadas no lado esquerdo do coração relacionam-se com problemas emocionais com a mãe. Outros pontos afetados por desordens no quarto centro de energia são: pulmões, braços e mãos, costelas, ombros.

AVALIAÇÃO DO QUARTO CHAKRA

Para analisar o estado de seu quarto chakra, sugerimos que faça uma observação, constatando se tem algumas das características relacionadas na pequena lista que segue. Assinale quais são comuns, mesmo que não seja sempre assim.

[ ] tem dado e recebido pouco amor
[ ] não quer mudar, sente preguiça
[ ] acha pouco propósito na vida
[ ] não gosta de pedir desculpas
[ ] teve recentemente ódio, vontade de se vingar
[ ] já pensou em matar-se ou tentou fazê-lo
[ ] quando lhe fazem algo negativo, guarda rancor por algum tempo
[ ] não consegue ter harmonia nos ambientes onde mora ou trabalha
[ ] não sabe expressar o seu amor
[ ] desconfia de tudo e de todos
[ ] e pouco tolerante
[ ] sente-se fechado para a vida
[ ] tem pressão alta ou sofre de doença cardíaca
[ ] tem problema nos pulmões
[ ] já lesou com certa gravidade braços, mãos, ombros ou costelas
[ ] detesta o seu trabalho
[ ] gosta de aparecer, quer ser admirado
[ ] faz caridade, mas quer ser reconhecido pelo que faz
[ ] tem mais de um relacionamento amoroso simultaneamente
[ ] está sempre agarrando as pessoas, abraça-as e beija-as.

Nesse pequeno teste, criamos condições para que você possa perceber como está o seu quarto chakra. Se prestar atenção, vai notar que cada um dos itens indica uma maneira pela qual o chakra cardíaco é alterado negativamente.

As primeiras quatro opções indicam situações que geram uma desaceleração do chakra. São elas: pouco amor, vida sem propósito, não ceder, preguiça.

As últimas quatro opções indicam situações nas quais acontece o oposto, que é a aceleração das funções do quarto chakra. São elas: duplo envolvimento amoroso, contatos físicos em excesso, *ego* exaltado, caridade sem desinteresse.

As situações que originam bloqueios são: ódio, rancor, intolerância, julgamento, falta de vontade de viver, não gostar do seu trabalho.

No corpo físico as alterações mais comuns, que denotam um chakra atingido, são: problemas no coração e pulmões, dores ou fraturas nos braços, mãos, costelas e ombros.

Se percebeu alguma das alterações relacionadas como desordem do quarto chakra, pode pensar numa provável alteração nesse centro de energia. Quanto mais pontos tiver assinalado na lista acima, maior é a possibilidade de você estar com seu chakra cardíaco desarmônico. Faça a sua avaliação:

1. Se marcou menos de 5 itens variados, sem ser numa sequência, está com um grau moderado de comprometimento do quarto chakra, o que requer sempre atenção. Para recuperá-lo, dê início a um processo de modificação interior, pois é necessário. Corrija atos, pensamentos ou emoções que constata que estão lhe fazendo mal. Não se preocupe se teve até 5 pontos assinalados, fique apenas interessado em mudar.

2. Se marcou 10 ou mais itens, o quarto chakra está bloqueado, com certeza. Para ficar bem, siga as instruções que estão indicadas; elas são capazes de realizar uma limpeza energética.
3. Se marcou em algum dos quatro últimos itens, está com o seu quarto chakra muito acelerado. Quanto mais itens marcou, maior a aceleração. Para recuperar as funções, é necessário seguir os procedimentos sugeridos; eles são capazes de realizar a desaceleração do centro de energia.
4. Se assinalou algum dos quatro primeiros itens, você está com os movimentos de seu quarto chakra muito lentos. Quanto mais itens marcou, maior a desaceleração. Para recuperar as funções, é necessário seguir os procedimentos indicados como capazes de realizar a ativação do centro de energia.
5. Se marcou desordens físicas, você já está numa fase que é posterior à da simples alteração dos centros de energia.

Lembre-se: primeiro o centro de energia desordena-se, depois o corpo físico adoece. Para ter seu chakra recuperado, siga os procedimentos capazes de proceder à limpeza do quarto chakra e em seguida faça a sequência de preces do PAI-NOSSO, para alinhar os chakras, como está descrito no último capítulo.

ROTEIROS PARA TRATAMENTO DO QUARTO CHAKRA:

Voltamos a lembrar que qualquer roteiro de tratamento, para qualquer caso de desordem do chakra, precisa ter uma condição essencial atendida, sem a qual os resultados estarão comprometidos. E essa condição é que o indivíduo se envolva totalmente com o processo de cura, estando disposto a fazer os exercícios indicados durante um certo tempo.

Para acompanhar os roteiros seguintes, basta dedicar-se durante dez dias às práticas sugeridas.

1º caso: quando o chakra está bloqueado:

Neste caso as funções do chakra estão anuladas e as energias não são distribuídas pelo sistema, que está enfraquecendo como um todo. A função curativa está na limpeza do centro de energia, após isso a tendência do chakra é retomar as suas capacidades naturalmente.

Durante 10 dias, tome o floral de Bach chamado HOLLY, que se manda preparar em farmácias de manipulação. O dom de HOLLY é o perdão. Ele promove uma boa limpeza energética, sendo eficaz para limpar o quarto chakra. Lembre-se: quando usamos um floral para limpeza energética, ele também pode causar, nos primeiros dias, uma limpeza física. Isso gera tosse, coriza, comichão, vontade de chorar ou gritar. Não se preocupe, porque não vai ter todas essas manifestações ao mesmo tempo e elas irão durar apenas dois ou três dias, depois desaparecem espontaneamente.

A dosagem do remédio floral varia de acordo com a intensidade do bloqueio. Para um bloqueio leve, deve-se tomar 3 gotas, 3 vezes ao dia. Para um bloqueio moderado, a dosagem é de 4 gotas, 4 vezes ao dia. Para um bloqueio acentuado, o ideal é tomar 5 gotas do floral, 5 vezes ao dia.

Durante os dias em que estiver tomando o floral, fará também um tratamento de cromoterapia. Esse tratamento pode ser feito de modo bem simples. Coloque no seu quarto luz verde e fique deitado, exposto a essa luz durante meia hora. Há outras maneiras para se obter luz dessa cor. Você pode colocar um tecido da cor verde sobre um abajur ou, se for de dia, um tecido dessa cor pode cobrir a janela, como uma cortina. A cromoterapia com a cor verde que sugerimos pode ser feita por um terapeuta especializado, se for mais fácil para você.

Depois do banho de luz com a cor indicada, faça a oração do PAI-NOSSO, repetindo-a sete vezes. Cada vez que disser o texto relativo ao quarto centro energético — PERDOAI-NOS AS NOSSAS OFENSAS, ASSIM COMO NÓS PERDOAMOS A QUEM NOS TEM OFENDIDO — mentalize, de olhos fechados, que há um raio de luz verde incidindo sobre este centro de energia, cuja posição é no meio do peito.

Quem pratica ou aprecia ioga pode fazer, após as preces, uma postura que abre o centro cardíaco, essa posição chama-se postura do peixe. Deite-se no chão, de barriga para cima (decúbito dorsal). Apoie os cotovelos no chão, erguendo um pouco os ombros. Nessa posição, desça a cabeça para trás, para olhar o teto. Mantenha a postura enquanto se sentir bem, não force demasiado. A respiração é normal. Quando se cansar, desça suavemente. Há um desenho que mostra, de forma esquemática, como é essa postura, encontre-o no ANEXO I do livro. Entoe, ao terminar, o mantra YAM, lentamente.

Repita diariamente o banho de luz verde, a oração e o mantra, durante os dez dias em que estiver tomando o floral HOLLY. Ao terminar o tratamento sentirá que seu quarto chakra está limpo e desbloqueado.

2º caso: quando o chakra está acelerado:

Nesse caso, o chakra apresenta concentração de energia. Isso acontece por diversos motivos, mas é principalmente por causa de muito contato físico, duplo envolvimento amoroso, ego exaltado, vaidade e outros motivos.

O centro cardíaco precisa ser desacelerado por meio de um tratamento que acalme os seus movimentos, depois do que retomará normalmente as suas funções.

Durante 10 dias tome o floral de Bach chamado BEECH. Este floral ensina e desperta a sabedoria do coração. Ele é preparado em farmácias de manipulação. BEECH promove suave e gradual desaceleração, ajudando o quarto chakra a retornar ao padrão energético ideal.

A dosagem do remédio floral varia de acordo com a intensidade da aceleração verificada. Para um estado de aceleração leve, deve-se tomar 3 gotas, 3 vezes ao dia. Para o caso de apresentar aceleração moderada, a dosagem é de 4 gotas, 4 vezes ao dia. Para aceleração acentuada, o ideal é tomar 5 gotas do floral, 5 vezes ao dia.

Durante os dias em que estiver tomando o floral, fará também um tratamento de cromoterapia com a vibração azul. Esse tratamento pode ser feito de modo bem simples. Fique deitado, exposto à luz azul durante meia hora. A luz dessa tonalidade tem capacidade de desacelerar o quarto chakra. As lâmpadas azuis são encontradas com facilidade. Se for de dia, é necessário escurecer o quarto com uma cortina. A cromoterapia com luz azul pode ser feita por um terapeuta especializado, se isso for conveniente.

A seguir ao banho de luz sugerido, faça a oração do PAI-NOSSO, repetindo-a sete vezes. Cada vez que disser o texto relativo ao quarto chakra — PERDOAI-NOS AS NOSSAS OFENSAS, ASSIM COMO NÓS PERDOAMOS A QUEM NOS TEM OFENDIDO — mentalize, de olhos fechados, um raio de luz azul incidindo sobre este centro de energia, localizado no coração.

Quem pratica ou aprecia ioga, pode fazer, ao terminar as orações, uma postura de ioga que ajuda a desacelerar o quarto chakra. Esta postura chama-se ioga mudra. Ajoelhe-se no chão e coloque os braços para trás, segure o pulso esquerdo com a mão direita. Incline o tronco para a frente, enquanto vai levantando os braços. De início os braços levantam pouco, nos dias seguintes eles vão se erguendo com mais facilidade. Mantenha a posição algum tempo, respirando curtinho. Quando sentir vontade, baixe os braços, levante o tronco e desfaça o ioga mudra. Há um desenho que mostra de forma esquemática como é essa postura; encontre-o no ANEXO I do livro. Ao terminar a postura de ioga, entoe o mantra YAM, lentamente.

Repita diariamente o banho de luz, a oração e o mantra, durante os dez dias em que estiver tomando o floral BEECH. Ao terminar o tratamento sentirá que o seu quarto chakra se restabeleceu, voltando a movimentar-se adequadamente.

3º caso: quando o chakra está desacelerado:

Nesse caso, o chakra apresenta perda de energia, por não ter feito uso das vibrações que lhe foram dirigidas. Talvez essa desaceleração seja porque você tem dado e recebido pouco amor, acha a vida sem propósito, não cede ou tem preguiça.

Quando o chakra cardíaco está desacelerado, precisa ser ativado por meio de um tratamento que acelere os seus movimentos, depois do que retomará normalmente as suas funções.

Durante 10 dias tome o floral de Bach chamado WILD OAT, que é preparado em farmácias de manipulação. WILD OAT é o floral que dá propósito à vida, ele faz uma suave e gradual aceleração, ajudando o quarto chakra a retornar ao padrão energético ideal.

A dosagem do remédio floral varia de acordo com a intensidade da desaceleração presente. Para um estado de desaceleração leve, deve-se tomar 3 gotas, 3 vezes ao dia. Para o caso de apresentar desaceleração moderada, a dosagem é de 4 gotas,

4 vezes ao dia. Para desaceleração acentuada, o ideal é tomar 5 gotas do floral, 5 vezes ao dia.

Durante os dias em que estiver tomando o floral, fará também um tratamento de cromoterapia com a vibração da cor rosa claro. Coloque no seu quarto luz dessa cor e fique deitado, exposto a essa luz durante meia hora. O rosa claro é uma cor que atua muito positivamente no quarto chakra, estimulando-o. Pode ser que não seja fácil encontrar uma lâmpada que tenha luz numa tonalidade rosa claro, mas há outras maneiras para se obter luz dessa cor. Você pode colocar um tecido rosa claro cobrindo um abajur ou encontrar uma forma de envolver a luz do teto de tal maneira que produza essa cor. Se for de dia, um tecido rosa pode cobrir a janela, como uma cortina. A cromoterapia com a cor rosa claro que sugerimos pode ser feita por um terapeuta especializado, se for mais fácil para você.

A seguir ao banho de luz indicado, faça a oração do PAI-NOSSO, repetindo-a sete vezes. Cada vez que disser o texto relativo ao quarto chakra — PERDOAI-NOS AS NOSSAS OFENSAS, ASSIM COMO NÓS PERDOAMOS A QUEM NOS TEM OFENDIDO — mentalize, de olhos fechados, que há um raio de luz rosa, bem suave e definido, incidindo sobre o centro de energia que fica no centro do peito.

Quem pratica ou aprecia ioga, pode fazer uma postura de ioga que estimula o quarto chakra. Esta postura chama-se postura da árvore. Ela é feita de pé. Procure equilibrar-se na perna esquerda e erguer a perna direita, dobrando o joelho, de modo que possa apoiar o pé direito na coxa esquerda. Isso é um pouco difícil para principiantes, se for o seu caso pode apoiar o pé na perna, a qualquer altura. Mantenha a postura, equilibrando-se na perna esquerda e dando apoio ao pé direito, apoio que pode ser feito desde o peito do pé esquerdo até o joelho da perna esquerda. As mãos ficam à altura do peito, em posição de prece. Permaneça assim o tempo que puder aguentar sem esforço extremo, depois desfaça. Repita a postura trocando a perna de equilíbrio. Esta postura ajuda a ativar o quarto chakra, com muitos benefícios para este centro de energia. Há um desenho que mostra de forma esquemática como é essa postura; encontre-o no ANEXO I do livro. Ao terminar a repetição da postura, entoe o mantra YAM, lentamente.

Repita diariamente o banho de luz rosa claro, a oração e o mantra, durante os dez dias em que estiver tomando o floral WILD OAT. Ao terminar o tratamento você sentirá que o seu quarto chakra se restabeleceu, voltando a movimentar-se adequadamente.

4º caso: quando há reflexos físicos:

Os problemas físicos aparecem quando o chakra fica desordenado durante muito tempo. Eles também podem surgir quando se estabelece uma situação crônica de desordem, por sucessivas atitudes de agressão ao centro de energia.

Quando o quarto chakra está desequilibrado e gera problemas físicos, o corpo costuma pedir alimentos vegetais, principalmente os verdes.

Para tratar os sintomas físicos, você deve procurar um médico, pois apenas ele poderá dizer com precisão qual o tratamento para cada caso. No entanto, pode-se fazer uma avaliação pelo pequeno teste que está neste capítulo, para ter noção do estado do chakra, verificando se ele está bloqueado, acelerado ou desacelerado. A partir dessa constatação, não há nenhum problema em seguir as indicações relativas ao tratamento do chakra. O tratamento com florais, luz e prece pode acompanhar os procedimentos médicos sem que haja interferência. Na verdade, as energias da luz, prece e florais costumam reforçar a ação dos remédios e de outros procedimentos médicos.

MEDITAÇÃO PARA O QUARTO CHAKRA:

Na luz do Senhor, Anahata é aquecido. A minha ligação com Deus é um desejo profundo, que vem de minha alma. Refaço essa ligação por vontade consciente. Que ela aconteça com o amparo do Pai, do Filho e da Mãe. A luz esmeralda da purificação é o presente que recebo. No meu ser, a obscuridade é superada pelo entendimento, a ignorância cede espaço à sabedoria, a indecisão dá lugar à escolha consciente, o ódio é eliminado pelo amor. Na luz permaneço por graça e desejo do Pai. O Perdão de Deus vem a mim na paz da vibração divina.

EXPERIÊNCIAS QUE EXPANDEM O QUARTO CHAKRA:

- Ir a um parque infantil e andar na roda gigante ou outro brinquedo.
- Participar de um programa de caridade voluntária.
- Visualizar um inimigo e pedir-lhe, mentalmente, perdão.

E não nos deixeis cair em tentação

O QUINTO CHAKRA

A sexta afirmação da oração do Pai é um pedido de defesa, no qual o Filho demonstra a sua confiança na capacidade defensiva do Pai. Essa súplica tem a intenção de fazer do Pai o guardião da alma do Filho.

A tentação é sempre relacionada com a garganta, porque este é o centro responsável pela comunicação das ideias. E é pela comunicação, falada, vista ou ouvida, que a tentação chega ao coração. A comunicação está relacionada com o quinto centro de energia do ser humano, portanto é através deste chakra que entra a energia da tentação.

Lembramos que a tentação só efetua uma concretização em atos se chegar ao quarto centro de energia, que é o coração, a sede do propósito, que a acolhe.

Cair em tentação pode ser compreendido como um retrocesso para a alma, por isso é no quinto centro de energia que se processam as grandes lutas da alma.

É depois de superar a ilusão da tentação que a alma adquire capacidades puramente espirituais, uma vez que a matéria não mais a subjuga. Assim sendo, no quinto chakra a alma tem condições de trabalhar para superar de vez a atração que o mundo material exerce sobre ela.

O quarto chakra é o ponto em que se dá a fusão de energias materiais com energias espirituais. No quinto, dá-se a passagem, a transposição final para a luz.

O quinto centro é a sede da responsabilidade e do teste. O ser encarnado vê, pensa, sente, deseja e detesta por meio da energia do quinto chakra. E ele tem uma grande responsabilidade sobre as suas decisões.

Este ponto é conhecido esotericamente como o portal da libertação, pelo qual o direito de receber a luz divina é tornado definitivo. Ao superar a tentação, passando no teste, a alma está pronta a fazer uso correto da luz.

O quinto chakra é também chamado de cálice ou vaso de luz, pois tem a capacidade de armazenar as vibrações superiores para uma alma que está fazendo o seu teste. Nele, as vibrações luminosas superiores são guardadas para oferecer ao vitorioso, aquele que superou os desejos inferiores e alcançou a libertação.

O nome do quinto chakra é VISUDHA, mas também é conhecido por outros nomes: chakra laríngeo ou chakra da garganta.

A sua principal função é a comunicação e a correta expressão das ideias. O prana adquire manifestação no quinto chakra, criando a linguagem. Essa linguagem pode ser entendida como manifestação comunicativa: palavras, música, ondas de rádio, linguagem de computador, gestos.

A noção que os antigos têm de que a ideia se materializa através de sons é mais do que acertada. Tudo o que existe pode ser criado através de som ou ondas sonoras. Não veremos isso acontecer nesta fase de evolução da humanidade, mas a nossa civilização já demonstrou, pela ciência, que a matéria se movimenta por influência das ondas sonoras.

A atual fase de evolução da humanidade destina-se a alcançar a energia que irá afastá-la das dificuldades representadas pelo mundo material. Isso acontecerá quando você souber vivenciar plenamente o amor, exatamente como Cristo veio anunciar. Ao ultrapassar esta última fase, a humanidade vai entrar no portal, quando será testada e poderá vivenciar a expressão total da alma, com ajuda de luz infinita.

A humanidade está passando pela fase das conquistas representada pelo quarto centro de energia. Numa etapa seguinte, vai entrar na fase de teste, representada pelo quinto centro de energia, o centro da comunicação.

É evidente que muitas almas já alcançaram o estágio do amor e agora lutam para elevar outras almas pela libertação do ódio e da atração da matéria. As forças conscientes fazem isso usando a força comunicativa do quinto chakra, pois já ganharam o direito de ter esse acesso. Qual é a maior indústria em expansão na atualidade? A da comunicação. E quem luta para tornar a rede de comunicação mais poderosa — a internet — num monopólio? Convém pensar sobre isso, pois a comunicação poderá ajudar ou impedir a evolução espiritual da humanidade.

A TIREOIDE E AS PARATIREOIDES

As glândulas tireoide e paratireoides estão relacionadas com o quinto chakra. Elas são diferentes e têm funções distintas.

A tireoide está posicionada na parte anterior superior da laringe e tem dois lobos, um de cada lado da traqueia. Ela segrega a tiroxina, que é um hormônio rico em iodo. A sua função é reguladora, o que faz com que a sua atividade seja de nível superior. Depende dela o metabolismo dos minerais no organismo, principalmente o metabolismo do iodo, do sódio, do potássio e do fósforo.

Ela equilibra a mente e une como uma ponte o espírito e a personalidade, conectando os planos objetivos e subjetivos. As suas secreções, quando normais, dão energia aos nervos e percepção mental clara e rápida. A deficiência hormonal produz preguiça, descontrole emocional, apatia, linguagem deficiente, sonolência, embotamento. Muito ativa, a tireoide provoca irritabilidade, emoções descontroladas, fantasias, irreflexão, extrema agitação e excitação, tendência a falar demasiado, insônia.

O refinamento espiritual depende das corretas e perfeitas ativações glandulares, ação que se processa lentamente no organismo humano, que aprimora as glândulas. À tireoide está reservado um importante papel, pois ela será de grande ajuda como futuro centro de poder, com ação no corpo espiritual e no corpo físico. O centro laríngeo incrementará a comunicação, fará da absorção do prana através da respiração a maior entrada de energia para o corpo, regulará o ciclo lunar feminino, aumentando o poder das mulheres.

As paratireoides são em número de quatro, duas de cada lado da tireoide. A sua missão principal é regularizar o metabolismo do cálcio. Essas glândulas possuem estreita ligação com os nervos, a sua deficiência pode gerar paralisia e alterar o controle dos músculos da face, além de lhes serem atribuídas a anorexia, astenia e lentidão mental. Se estão muito ativas, as paratireoides produzem espasmos e alucinações, embora a pessoa possa aparentar um exterior tranquilo.

No espiritualista, as paratireoides dão luminosidade e força de ascensão que parecem extrafísicas. Tremenda força interior e resistência contra as doenças são atributos dessa glândula. O seu poder também crescerá algumas gerações adiante, à semelhança do que acontecerá com a tireoide.

Para finalidades da alma, que não tem nada a ver com a realidade material, a glândula tireoide está diretamente ligada à pineal, enquanto que as paratireoides estão conectadas com o corpo pituitário. Esse é o sistema glandular elevado, que estimula o estudante espiritual e que o protege.

Quando o corpo humano for o verdadeiro templo de Deus, como se espera, as glândulas dos chakras superiores verão as suas capacidades plenamente ativas, conduzindo o ser humano ao completo aproveitamento dos seus dons, hoje ainda não completamente desenvolvidos.

AS FUNÇÕES DO QUINTO CHAKRA

O quinto centro de energia recebe, controla, cria e transmite conceitos, permitindo que almas, encarnadas ou não, se comuniquem. Ouvir e falar com espíritos é um dom do quinto chakra. Através dele é possível canalizar e receber informações espirituais claras e úteis. Mas a função mais importante é a comunicação com os nossos semelhantes, de forma positiva e construtiva, pois melhora a nossa capacidade de entender e ser entendido.

Esse centro faz o alinhamento entre pensamentos e atitudes, dando forma ao que era apenas uma ideia. Por isso o chakra da garganta é conhecido como centro de criação. A criatividade é um dom do quinto chakra, e quem acha que não possui criatividade pode estimular o centro laríngeo para obtê-la.

Tudo o que existe começa na mente, é imaginado no centro de energia do sexto chakra, o centro do planejamento, e passa, na etapa seguinte, para a comunicação, o que acontece no quinto chakra. A partir desse ponto, basta realizar, o que acontece no plano da matéria.

Outros dons do quinto chakra são: autoridade legítima, manifestação da verdade, expressão clara dos pensamentos, expressão da alma no mundo material, assimilação de vibração sutil. Parte do quinto centro de energia a capacidade de sintetizar as ideias em símbolos. Os símbolos são palavras, pois é pela verbalização que nos comunicamos com mais facilidade. Outras categorias de comunicação que são também atributos do quinto chakra: o canto, a escrita, os gestos. Como forma de expressão, nenhuma linguagem é superior.

É importante, neste ponto do estudo, falar sobre o som. Os sons criam campos de vibração extremamente poderosos. Todos conhecem a teoria bíblica que afirma que no princípio era o Verbo e dele tudo derivou. Não temos ainda acesso a tal poder, mas o quinto chakra ativa o poder das nossas palavras. Para ter o poder das palavras, é interessante manter o chakra da garganta sempre bem harmonizado.

No livro indicamos como alguns mantras ajudam a ativar, acalmar e desbloquear os chakras. Os mantras que sugerimos são derivados da antiga tradição, que chegou até nós através da civilização indiana. Para ter perfeito aproveitamento da emissão de mantras, sugerimos sempre que eles sejam pronunciados lentamente, sendo ideal fazer a emissão do som quando soltar o ar. A purificação que acontece quando o ar sai dos pulmões é aumentada quando se deixa sair o som do mantra.

Mais uma importante função do chakra laríngeo, que não podemos deixar de comentar, está na capacidade de facilitar as escolhas da alma. Quando é preciso tomar uma decisão muito importante, o quinto centro de energia é ativado e se ele estiver com energia limpa, bem harmonizado, será capaz de efetivar a tomada de decisão com facilidade. Quem sente dificuldade em decidir, está na maioria das vezes com este centro de energia congestionado.

O corpo humano tem alguns pontos afetados no caso de disfunção do quinto chakra. Esses pontos estão na região sob regência do centro de energia da garganta. Os problemas mais comuns são: dores de garganta e ouvidos, problemas na boca e dentes, lesões na laringe, esôfago, cordas vocais e língua, resfriados e alergias, além de problemas na glândula do quinto chakra, a tireoide.

Este centro de energia é muito afetado por falta de autoestima, introspecção, alienação, falta de responsabilidade, indecisão, dizer sim quando quer dizer não, dizer não quando deveria ceder e dizer sim, sucumbir à tentação e à ilusão, não aceitar a responsabilidade da sua vida, exercer domínio sobre outras pessoas.

AVALIAÇÃO DO QUINTO CHAKRA

Para analisar o estado de seu quinto chakra, sugerimos que faça uma observação, constatando se tem algumas das características relacionadas na pequena lista que segue. Assinale quais são comuns, mesmo que não seja sempre assim.

[ ] você não exerce o direito que tem de fazer as suas escolhas
[ ] demora, adia ou não consegue tomar decisões
[ ] acha que não tem criatividade
[ ] gosta de mexericos
[ ] tem fragilidade na garganta ou no ouvido
[ ] quando discute, defende os seus pontos de vista com veemência
[ ] acha difícil não ceder a certas tentações
[ ] faz uso de más palavras ou palavrões
[ ] tem tendência a introspecção, não comunica as suas ideias
[ ] muitas vezes diz sim quando queria dizer não
[ ] não aprecia a sua personalidade
[ ] tem vergonha de dizer o que pensa, não defende as suas ideias
[ ] não é capaz de guardar um segredo

[ ] diz não quando deveria ter dito sim, depois arrepende-se
[ ] costuma dominar as outras pessoas, principalmente pela fala
[ ] não escuta os argumentos dos outros até o fim
[ ] fala demasiado ou é visto como falador
[ ] tem excesso de responsabilidades
[ ] manipula muitas informações ao mesmo tempo
[ ] desabafa, contando os seus problemas no açougue, no cabeleireiro, em qualquer lugar.

Nesse pequeno teste, criamos condições para que você possa perceber como está o estado de funcionamento do seu quinto chakra. Se prestar atenção às opções expostas, vai notar que cada um dos itens indica uma maneira pela qual o chakra da garganta é alterado negativamente.

As primeiras quatro opções indicam situações que geram uma desaceleração do chakra. São elas: perder tempo com conversas vãs, não tomar decisões com facilidade, não fazer as suas escolhas, duvidar da sua criatividade.

As últimas quatro opções indicam situações nas quais acontece o oposto, que é a aceleração das funções do quinto chakra. São elas: falar demais, usar sem critério ouvidos alheios para desabafar, muitas responsabilidades, ter que assimilar muitas informações.

As situações que originam bloqueios são: dominação, ceder à tentação, introspecção, usar palavras negativas, discutir com violência, não ouvir o que os outros dizem.

No corpo físico as alterações mais comuns, que denotam um chakra atingido, são: problemas na região da garganta ou ouvidos e com a glândula tireoide.

Se percebeu uma das alterações relacionadas como disfunção do quinto chakra, convém pensar numa provável alteração nesse centro de energia. Quanto mais pontos você tiver assinalado na relação anterior, maior é a possibilidade de estar com o seu chakra laríngeo em desarmonia. Faça a sua avaliação:

1. Se marcou menos de 5 itens variados, sem ser numa sequência, você está com um grau moderado de comprometimento do quinto chakra, o que pede atenção. Para recuperar o centro de energia atingido, dê início ao processo de modificação interior necessário, corrigindo os atos, pensamentos ou emoções que constatou estarem lhe fazendo mal. Não se preocupe se teve até 5 pontos assinalados, apenas fique atento.
2. Se marcou 10 ou mais itens, o seu quinto chakra está bloqueado, com certeza. Para recuperá-lo, siga os procedimentos indicados como capazes de realizar uma limpeza do centro de energia.
3. Se assinalou algum dos quatro últimos itens, está com o seu quinto chakra muito acelerado. Quanto mais itens marcou, maior a aceleração. Para recuperar as funções, é necessário seguir os procedimentos indicados como capazes de realizar a desaceleração do centro de energia.
4. Se assinalou algum dos quatro primeiros itens, você está com os movimentos do seu quinto chakra muito lentos. Quanto mais itens marcou, maior a desaceleração. Para recuperar as funções, é necessário seguir os procedimentos indicados como capazes de realizar a ativação do centro de energia.
5. Se assinalou desordens físicas, você está na fase seguinte à da simples alteração dos centros de energia. Lembre-se: primeiro o chakra desordena-se, depois o corpo físico

adoece. Para recuperar o seu chakra, siga os procedimentos indicados como capazes de proceder a limpeza do quinto chakra e, em seguida, faça a sequência de preces do PAI-NOSSO, para alinhar os chakras, como está descrito no último capítulo.

ROTEIROS PARA TRATAMENTO DO QUINTO CHAKRA:

Qualquer roteiro de tratamento, em caso de desordem do chakra, precisa ter uma condição essencial atendida, sem a qual os resultados estarão comprometidos. E essa condição é que o indivíduo se envolva totalmente com o processo de cura, estando disposto a fazer os exercícios indicados durante um certo tempo.

Para acompanhar os roteiros seguintes, basta dedicar-se durante dez dias às práticas sugeridas, pois isso é suficiente para ter alterações positivas no chakra.

1º caso: quando o chakra está bloqueado:

O bloqueio indica que as funções do chakra estão anuladas e as energias não estão sendo distribuídas pelo sistema, que enfraquece como um todo. Há necessidade de promover uma limpeza no centro de energia, após a qual a tendência do chakra é retomar as suas capacidades espontaneamente.

Durante 10 dias, tome o floral de Bach chamado CHESTNUT BUD, que é preparado em farmácias de manipulação. CHESTNUT BUD é capaz de ensinar à alma a compreensão e também realizará uma boa limpeza energética, sendo eficaz para desbloquear o chakra atingido. Quando usamos um floral para limpeza energética, ele pode causar, nos primeiros dias, uma limpeza física, que se apresenta como tosse, coriza, comichão, vontade de chorar ou gritar. Não se preocupe, essas manifestações não se apresentam ao mesmo tempo e duram apenas dois ou três dias, depois desaparecem espontaneamente.

A dosagem do remédio floral varia de acordo com a intensidade do bloqueio. Para um bloqueio leve, deve-se tomar 3 gotas, 3 vezes ao dia. Para um bloqueio moderado, a dosagem é de 4 gotas, 4 vezes ao dia. Para um bloqueio acentuado, o ideal é tomar 5 gotas do floral, 5 vezes ao dia.

Durante os dias em que estiver tomando CHESTNUT BUD, fará também um tratamento de cromoterapia. Esse tratamento pode ser feito de modo bem simples. Coloque no seu quarto luz azul e fique deitado, exposto a essa luz durante meia hora. Se não quiser usar a lâmpada com luz dessa tonalidade, há outras maneiras para obter luz dessa cor. Pode colocar um tecido de cor azul sobre um abajur ou encontrar uma forma de envolver a luz do teto de tal maneira que produza luz azul. Se for de dia, um tecido dessa cor pode cobrir a janela, como uma cortina. A cromoterapia com a cor azul que sugerimos pode ser feita por um terapeuta especializado, se for mais simples para você.

A seguir ao banho de luz com a cor, faça a oração do PAI-NOSSO, repetindo-a sete vezes. Cada vez que disser o texto relativo ao quinto centro de energia — E NÃO NOS DEIXEIS CAIR EM TENTAÇÃO — mentalize, de olhos fechados, que há um raio de luz azul vibrante incidindo sobre este centro de energia, cuja posição é na garganta.

Quem pratica ou aprecia ioga, pode fazer, após as preces, um exercício simples. Sente-se numa posição confortável, que lhe permita manter a sua coluna ereta. Apoie as suas mãos nas coxas, com as palmas voltadas para cima. Una o dedo polegar e o dedo médio, fazendo pressão na ponta dos dedos. Essa posição deve ser mantida durante quinze minutos, mas pode ser prolongada até quarenta minutos. Entoe, ao terminar, o mantra HAM, lentamente.

Repita diariamente o banho de luz azul, a oração e o mantra, durante os dez dias em que estiver tomando o floral CHESTNUT BUD. Ao terminar o tratamento sentirá que o seu quinto chakra está limpo e desbloqueado.

2º caso: quando o chakra está acelerado:

Nesse caso, o chakra apresenta concentração de energia. Isso acontece por diversos motivos, mas é principalmente pelas razões já expostas. O centro da garganta precisa ser desacelerado por meio de um tratamento que acalme os seus movimentos, depois do que retomará normalmente as suas funções.

Durante 10 dias tome o floral de Bach chamado SCLE-RANTHUS, que é preparado em farmácias de manipulação. SCLERANTHUS é o floral da decisão comunicada, ele ajuda a promover uma suave e gradual desaceleração, ajudando o quinto chakra a retornar ao padrão energético ideal.

A dosagem do remédio floral indicado varia de acordo com a intensidade da aceleração verificada. Para um estado de aceleração leve, deve-se tomar 3 gotas, 3 vezes ao dia. Para o caso de apresentar aceleração moderada, a dosagem é de 4 gotas, 4 vezes ao dia. Para aceleração acentuada, o ideal é tomar 5 gotas do floral, 5 vezes ao dia.

Durante os dias em que estiver tomando o floral, você poderá fazer também um tratamento de cromoterapia com a vibração verde. Esse tratamento é simples. Fique deitado, exposto à luz da cor sugerida durante meia hora. A luz verde tem a capacidade de desacelerar o quinto chakra. As lâmpadas verdes são encontradas com facilidade. Se for de dia, é necessário escurecer o quarto com uma cortina. A cromoterapia com luz dessa tonalidade pode ser feita por um terapeuta especializado, se achar melhor.

A seguir ao banho de luz verde, faça a oração do PAI-NOSSO, repetindo-a sete vezes. Cada vez que disser o texto relativo ao quinto chakra — E NÃO NOS DEIXEIS CAIR EM TENTAÇÃO — mentalize, de olhos fechados, um raio de luz verde intenso incidindo sobre este centro de energia, localizado na garganta.

Quem pratica ou aprecia ioga, pode fazer, ao terminar as orações, um exercício de ioga que ajuda a desacelerar o quinto chakra. Sente-se numa cadeira confortável, que lhe permita manter a coluna alinhada. Inspire e em seguida engula em seco. Faça isso mais uma ou duas vezes, depois pare. Durante o dia, faça esse exercício várias vezes. Engolir em seco desacelera as funções do quinto chakra. É um exercício muito simples, mas é extremamente eficaz. Ao terminar com o exercício, entoe o mantra HAM, lentamente.

Repita diariamente o banho de luz, a oração e o mantra, durante os dez dias em que estiver tomando o floral SCLERANTHUS. Ao terminar o tratamento sentirá que o seu quinto chakra se restabeleceu, voltando a movimentar-se adequadamente.

3º caso: quando o chakra está desacelerado:

Nesse caso, o chakra apresenta perda de energia, por não ter feito uso das vibrações que lhe foram dirigidas. Talvez essa desaceleração seja pela sequência de motivos já listados.

Quando o chakra laríngeo está desacelerado, precisa ser ativado por meio de um tratamento que acelere os seus movimentos, depois do que retomará normalmente as suas funções.

Durante 10 dias tome o floral de Bach chamado HEATHER, que é preparado em farmácias de manipulação. HEATHER dá poder às palavras, fazendo com que a expressão comunicativa seja satisfatória. Ele promove suave e gradual aceleração, ajudando o quinto chakra a retornar ao padrão energético ideal.

A dosagem do remédio floral varia de acordo com a intensidade da desaceleração presente. Para um estado de desaceleração leve, deve-se tomar 3 gotas, 3 vezes ao dia. Para o caso de apresentar desaceleração moderada, a dosagem é de 4 gotas, 4 vezes ao dia. Para desaceleração acentuada, o ideal é tomar 5 gotas do floral, 5 vezes ao dia.

Durante os dias em que estiver tomando o floral, fará também um tratamento de cromoterapia com a vibração da cor laranja. Coloque no seu quarto luz dessa cor e fique deitado, exposto a essa luz durante meia hora. O laranja é uma cor que atua no quinto chakra muito positivamente. Se não encontrar lâmpada laranja, há outras maneiras para se obter luz dessa cor. Pode colocar um tecido dessa tonalidade cobrindo um abajur ou encontrar uma forma de envolver a luz do teto de tal maneira que produza essa cor. Se for de dia, um tecido laranja pode cobrir a janela, como uma cortina. A cromoterapia com a cor indicada que sugerimos pode ser feita por um terapeuta especializado, se achar que é mais simples.

A seguir ao banho de luz laranja, faça a oração do PAI-NOSSO, repetindo-a sete vezes. Cada vez que disser o texto relativo ao quinto chakra — E NÃO NOS DEIXEIS CAIR EM TENTAÇÃO — mentalize, de olhos fechados, que há um raio de luz laranja, bem forte, incidindo sobre o centro de energia que fica na garganta.

Quem pratica ou aprecia ioga, pode fazer um exercício de ioga que estimula o quinto chakra. Sente-se confortavelmente, mantendo as suas costas bem alinhadas. Com a boca fechada, faça uma leve pressão com a língua no palato. Mantenha essa pressão durante dois ou três minutos. Respire normalmente durante o tempo em que mantiver essa posição. Ao terminar, inspire profundamente e solte o ar colocando a língua para fora, abrindo a boca o mais possível. Enquanto solta o ar, com a língua para fora, faça o som HAAAAAAAAAAAMMM.

Quando terminar, se desejar, entoe também o mantra do quinto chakra, HAM, bem lentamente.

Repita diariamente o banho de luz laranja, a oração e o mantra, durante os dez dias em que estiver tomando o floral HEATHER. Ao terminar o tratamento sentirá que o seu quinto chakra se restabeleceu, voltando a movimentar-se adequadamente.

4º caso: quando há reflexos físicos:
Os problemas físicos aparecem quando o chakra fica desordenado durante muito tempo. Eles também podem surgir quando se estabelece uma situação crônica de desordem, por sucessivas atitudes de agressão ao centro de energia.

Quando o quinto chakra está em desarmonia, o corpo físico costuma ter necessidade de comer frutas.

Para tratar os sintomas físicos, você deve procurar um médico, pois apenas ele poderá dizer com precisão qual o tratamento para cada caso.

No entanto, pode-se fazer uma avaliação pelo pequeno teste que está neste capítulo, para ter noção do estado do chakra, verificando se ele está bloqueado, acelerado ou desacelerado. A partir dessa constatação, não há nenhum problema em seguir as indicações relativas ao tratamento do chakra. O tratamento com florais, luz e prece pode acompanhar os procedimentos médicos sem que haja interferência. Na verdade, as energias da luz, prece e florais costumam reforçar a ação dos remédios e de outros procedimentos médicos.

MEDITAÇÃO PARA O QUINTO CHAKRA:

Na luz do Senhor, Visudha é clarificado. A minha ligação com Deus é um desejo profundo, que vem da minha alma. Refaço essa ligação por vontade consciente. Que ela aconteça com o amparo do Pai, do Filho e da Mãe. A luz azul da assimilação é o presente que recebo. No meu ser a dúvida dá lugar à certeza, o caminho tortuoso torna-se direito, a falta de comunicação deixa espaço à palavra de luz. Na luz permaneço por graça e desejo do Pai. O Vaso de Deus guarda para mim o quinto elemento da vibração divina.

EXPERIÊNCIAS QUE EXPANDEM
O QUINTO CHAKRA:
- Permanecer sem falar durante vinte e quatro horas.
- Lembrar-se dos erros passados que ainda incomodam, confessá-los a um sacerdote.
- Vencer a tentação, não comer durante um mês o alimento de que mais gosta.

Mas librai-nos do mal

O SEXTO CHAKRA

A sétima afirmação da oração do Pai é ligada ao sexto chakra. A última súplica do Filho que está direcionada ao Pai é motivada por um desejo ardente de emancipação. O Filho sente que já evoluiu e quer se afastar de todo o mal, não estando seguro de conseguir isso sem ajuda divina.

Implorar pela libertação do mal é voltar as costas às forças sem luz que obscurecem a razão. E é precisamente no centro de energia da cabeça que são processadas as informações sobre o que e certo e o que é errado.

Sob a regência do sexto centro energético a alma alcança o ponto em que adquire a capacidade de chegar ao seu verdadeiro Eu, podendo concretizar os seus objetivos pelo controle da mente a da habilidade de concentração.

A única forma de se libertar do mal é ter consciência do que é realmente importante para o crescimento espiritual, pois só quem conhece pode discernir. A discriminação é um dom da mente lúcida, que busca a luz como única forma válida de crescimento.

A energia acumulada no sexto chakra permite à alma exercitar a habilidade de conservar a mente fixa nas suas metas. Com toda a atenção voltada para o Eu Superior, nasce um desprendimento das coisas relacionadas com a matéria. A tentação é afastada e o mal não nos atinge. É do chakra da testa que vem a força para a alma fazer a opção definitiva, que é tomar o Caminho da Mão Direita e negar o Caminho da Mão Esquerda.

A vida de quem possui um sexto chakra em harmonia é mais fácil. Os ambientes hostis não o perturbam, as pessoas não o incomodam, mesmo no meio do tumulto existe paz. A razão desta paz é a perfeita harmonia mental. Quando a mente fica ancorada a planos superiores, as alterações dos planos materiais não interferem no estado mental. É possível estar fazendo compras num supermercado lotado, no primeiro sábado do mês, e sentir-se calmo, até feliz.

O nome do sexto chakra é AJNA, mas ele também é conhecido por outros nomes: chakra frontal, chakra da fronte ou da testa, terceiro olho. Está localizado na testa, entre as sobrancelhas.

A sua principal função é dar à alma a capacidade de entender, e chegar àquilo que se chama de ver sem olhar.

Esse centro de energia aprimora os processos mentais inferiores. Nele, os pensamentos desarmônicos são afastados, a energia mental é selecionada, sendo purificada por processos que conduzem os estados mentais superiores.

É o chakra do estudo, da intuição, da percepção mediúnica, da consciência luminosa. É um chakra de consciência crística, que fornece as grandes lições de que a alma precisa, pela aceitação de Cristo como Mestre da alma.

A GLÂNDULA PITUITÁRIA OU HIPÓFISE

A glândula pituitária está relacionada com o sexto chakra. Essa glândula é também chamada de hipófise. A sua atividade principal consiste em regularizar as atividades das outras glândulas do organismo, por isso ela é chamada de glândula regente ou glândula mestra.

A sua posição no corpo humano é na parte inferior do cérebro, na região que está acima da parte posterior do céu da boca, conhecida como véu palatino mole. Ela pode ser tocada de modo indireto com a ponta da língua. Tem o tamanho de uma avelã e fica posicionada no centro verdadeiro da cabeça, numa espécie de câmara óssea, chamada sela turca, do esfenoide.

Embora atue sobre todas as outras glândulas, a ação da pituitária é mais efetiva sobre as gônadas, as suprarrenais e a tireoide. Essa ligação glandular reflete exatamente o elo especial que une o sexto chakra aos centros de energia que mais são afetados pela tentação da matéria: o primeiro chakra (base na matéria), o segundo chakra (reprodução na matéria) e o quinto chakra (superar a ilusão da matéria).

A pituitária é dividida em dois lobos. O primeiro deles, o lobo anterior, controla o crescimento do esqueleto. Quando esse lobo é predominante, a pessoa é geralmente alta. As pessoas que crescem demais têm uma atividade exagerada do lobo anterior. A deficiência do lobo anterior gera pessoas de pequena estatura ou anões. Outras disfunções da hipófise produzem envelhecimento precoce, pele enrugada e seca, queda de pelos.

Se a pituitária é muito ativa, leva a um temperamento lento e frio, combatividade e domínio, crítica. Pouco ativa, ela imprime vontade fraca, timidez, impressionabilidade, atraso mental, desconcentração.

A polaridade da glândula pituitária é feminina, como já vimos anteriormente. O seu par oposto é a glândula pineal (do sétimo chakra). A pituitária influencia a atividade dos ovários, órgãos femininos de geração, enquanto que a pineal é o centro masculino. As duas glândulas atraem-se constantemente, a pineal direciona a sua ponta para a pituitária, que a atrai magneticamente.

A transmutação gerada pelo Casamento Místico das energias da pituitária e da pineal resulta na união espiritual que gera a harmonização das tendências opostas interiores. É a união do ego masculino com a mulher interior que todo homem possui. É o casamento do ego feminino com o homem interior que toda mulher possui. Quando essa harmonização não acontece, o ser confunde o seu papel sexual e, mesmo sendo homem, sente que tem alma de mulher e vice-versa.

As glândulas pituitária e pineal são coordenadas por uma terceira glândula, o hipotálamo, que forma o triângulo místico dos chakras espirituais (sexto e sétimo chakras).

O hipotálamo fica na parte inferior do cérebro, mais ou menos no centro da cabeça. Ele tem o tamanho de uma ameixa seca. Já foi comparado a uma central telefônica, pois se comunica com praticamente todo o organismo humano. Ele avisa quando há uma necessidade orgânica, que origina fome, sede, frio, calor, etc. A sua função é manter o organismo estável, ajustando a temperatura, hidratação, nutrição, reprodução.

A função que o hipotálamo tem de criar estabilidade, ajustando o que se desequilibra, também está relacionada com os aspectos da alma que se desajustam. O hipotálamo dá a contrapartida quando um centro superior de energia entra em colapso. Nas doenças graves espirituais, como é o caso das obsessões, nas quais há influência espiritual invasiva, ele chega a provocar sensações físicas de alerta, como arrepios, suores e aversão.

Quando o estudo do corpo espiritual for objeto de interesse dos cientistas e lhe forem dedicadas pesquisas profundas, as glândulas e as suas funções superiores sobre a alma e os seus centros energéticos tornarão claro para a comunidade científica aquilo que os espiritualistas já conhecem há séculos, transmitido por tradição e mistério.

AS FUNÇÕES DO SEXTO CHAKRA

O centro de energia da testa também tem outras funções, todas elas mais espirituais que materiais. As funções materiais são mais acentuadas no primeiro, segundo e terceiro chakras. As funções espirituais têm prioridade no quinto, sexto e sétimo chakras. Ao quarto chakra cabem as duas funções, material e espiritual, em igual intensidade.

Toda forma de visão relaciona-se com o sexto chakra. A visão interior, que conduz à análise mental, é uma delas. A capacidade de criar imagens mentais nítidas, que chamamos de visualização criativa, é também governada por esse centro de energia. A clarividência e a visão estendida estão entre as habilidades que nascem no centro da fronte. Ele ainda permite a visualização de certas vibrações sutis que os olhos físicos só alcançam através da atuação do sexto chakra, tal como a habilidade de ver a aura humana.

A mediunidade é ligada ao sexto chakra quando for resultado de procura consciente de desenvolvimento espiritual, que induz ao estudo e aprimoramento. A mediunidade instintiva é uma qualidade do segundo chakra, como já foi mencionado no capítulo destinado ao estudo do chakra umbilical. No sexto chakra, o desenvolvimento da mediunidade é produto de estudo, pesquisa, ajuda de mestres espirituais, orientação de grupos esotéricos ou religiosos. É uma mediunidade que faz uso do intelecto.

Na vida comum, o sexto chakra é fonte de muita ajuda. Ele fornece avisos, traz inspiração, abre a intuição, ajuda a encontrar soluções, abre a mente a ideias inovadoras. Na vida espiritual ele ajuda a estender os limites, deixando o espírito livre das restrições dos sentidos.

Outros dons do chakra frontal são: entender sem palavras, concentração, percepção aguçada, antecipação, aceitação dos próprios limites, espontaneidade. Ele ajuda a pessoa a ser verdadeira consigo mesma.

A imaginação é uma qualidade desse centro de energia. A palavra imaginação tem valor semelhante a «em mágica ação». Os sacerdotes celtas, os druidas, faziam uso dessa habilidade para criar aquilo que não existia. Eles eram capazes, com o uso de poderes derivados da estimulação visual do sexto chakra, de fazer aparecer uma ponte onde não havia — todos viam a ponte, cavalos passavam por essa ponte e depois a ponte esvaía-se.

Um sexto chakra alterado negativamente produz resultados tais como falta de lógica, desprendimento mental, problemas de memória, introversão, medo do futuro, medo de se envolver com a espiritualidade.

As doenças do sexto chakra são principalmente voltadas para os olhos, nariz e cérebro, mas também temos: dores de cabeça, sinusite, bruxismo, úlcera estomacal de fundo nervoso, eczemas, nódulos e gânglios, tumores cerebrais, distúrbios neurológicos, cegueira.

AVALIAÇÃO DO SEXTO CHAKRA

Para analisar o estado de seu sexto chakra, sugerimos que faça uma observação, constatando se tem algumas das características relacionadas na pequena lista que segue. Assinale quais são comuns, mesmo que não seja sempre assim.

[ ] você tem mais facilidade para ver o lado negativo das coisas
[ ] não gosta de fazer uso da intuição
[ ] já desistiu de mudar o que está errado no mundo
[ ] não tem estudado, não há nada que queira aprender

[ ] tem problemas nos olhos
[ ] acha fácil encontrar desculpas para si mesmo
[ ] range os dentes quando dorme (bruxismo)
[ ] já foi vítima de obsessão espiritual, sofreu um ataque
[ ] vive a maior parte do tempo no plano mental
[ ] apresenta distúrbios neurológicos
[ ] não dorme bem porque a cabeça não para
[ ] já teve ilusões espirituais
[ ] é médium, mas não atua
[ ] tem crises de dor de cabeça
[ ] a sua memória é péssima
[ ] todos dizem que é muito desligado
[ ] tem uma certa resistência às mudanças
[ ] tem tido sonhos agitados, pesadelos
[ ] está em fase de muito estudo, leituras
[ ] tem um idealismo extremo por uma determinada causa.

Nesse pequeno teste, criamos condições para que possa perceber como está o estado de funcionamento do seu sexto chakra. Se prestar atenção às opções expostas, vai notar que cada um dos itens indica uma maneira pela qual o chakra frontal é alterado negativamente.

As primeiras quatro opções indicam situações que geram uma desaceleração do chakra. São elas: negatividade, não usar a intuição, fugir da espiritualidade, deixar de aprender.

As últimas quatro opções indicam situações nas quais acontece o oposto, que é a aceleração das funções do sexto chakra. São elas: resistir a mudanças, muitas leituras e estudos, idealismo excessivamente atuante e forte, sonhos perturbadores.

As situações que originam bloqueios são: ilusões, obsessão espiritual, viver só no plano mental, dar desculpas a si mesmo.

No corpo físico as alterações mais comuns, que denotam um chakra atingido, são: dores de cabeça, problemas nos olhos, bruxismo, distúrbios neurológicos, mente confusa. Quando perceber alterações relacionadas à disfunção do sexto chakra, pense numa provável alteração nesse centro de energia. Quanto mais pontos tiver assinalado na relação anterior, maior é a possibilidade de estar com o seu chakra da testa em desarmonia. Faça sua avaliação:

1. Se marcou menos de 5 itens variados, sem ser numa sequência, está com um grau moderado de comprometimento do sexto chakra, o que pede atenção. Para recuperar o centro de energia atingido, dê início ao processo de modificação interior necessário, corrigindo os atos, pensamentos ou emoções que constatou estarem lhe fazendo mal. Não se preocupe se teve até 5 pontos assinalados, apenas tente mudar um pouco.
2. Se marcou 10 ou mais itens, o seu sexto chakra está bloqueado, com certeza. Para recuperá-lo, siga os procedimentos indicados como capazes de realizar uma limpeza do centro de energia.
3. Se assinalou algum dos quatro últimos itens, está com o seu sexto chakra muito acelerado. Quanto mais itens marcou, maior a aceleração. Para recuperar as funções, é necessário seguir os procedimentos indicados, eles são capazes de realizar a desaceleração do centro de energia.
4. Se marcou algum dos quatro primeiros itens, está com os movimentos de seu sexto chakra muito vagarosos. Quanto mais itens marcou, maior a desaceleração. Para recuperar as funções, é necessário seguir as sugestões

indicadas como capazes de realizar a ativação do centro de energia.
5. Se assinalou desordens físicas, está na fase seguinte à da simples alteração dos movimentos do sexto centro de energia. Lembre-se: primeiro o chakra desordena-se, depois o corpo físico adoece. Para recuperar o seu chakra, siga os procedimentos indicados como capazes de proceder à limpeza do chakra e em seguida faça a sequência de preces do PAI-NOSSO, para alinhar os chakras, como está descrito no último capítulo.

ROTEIROS PARA TRATAMENTO DO SEXTO CHAKRA:

Qualquer roteiro de tratamento, para qualquer caso de desordem do chakra, precisa ter uma condição essencial atendida, sem a qual os resultados estarão comprometidos. E essa condição é que o indivíduo se envolva totalmente com o processo de cura, estando disposto a fazer os exercícios indicados durante um certo tempo.

Para acompanhar os roteiros seguintes, basta dedicar-se durante dez dias às práticas sugeridas; como o tempo gasto para isso não é muito, vale a pena começar.

1º caso: quando o chakra está bloqueado:

Isso acontece quando as funções do chakra estão anuladas e as energias não são distribuídas pelo sistema, que enfraquece como um todo. Há necessidade de promover uma limpeza no centro de energia, após a qual a tendência do chakra é retomar as suas capacidades espontaneamente.

Durante 10 dias, tome o floral de Bach chamado AGRIMONY, que é preparado em farmácias de manipulação. AGRIMONY limpa venenos e desfaz concentrações energéticas negativas. Este floral promove uma boa limpeza, sendo eficaz para limpar o chakra atingido. Quando usamos um floral para limpeza energética, ele pode causar, nos primeiros dias, uma limpeza física, que se apresenta como tosse, coriza, comichão, vontade de chorar ou gritar. Não se preocupe, todas essas manifestações não acontecem ao mesmo tempo e duram apenas dois ou três dias, depois desaparecem espontaneamente.

A dosagem do remédio floral varia de acordo com a intensidade do bloqueio. Para um bloqueio leve, deve-se tomar 3 gotas, 3 vezes ao dia. Para um bloqueio moderado, a dosagem é de 4 gotas, 4 vezes ao dia. Para um bloqueio acentuado, o ideal é tomar 5 gotas do floral, 5 vezes ao dia.

Durante os dias em que estiver tomando o floral, fará também um tratamento de cromoterapia. Esse tratamento pode ser feito de modo bem simples. Coloque no seu quarto luz índigo e fique deitado, exposto a essa luz, durante meia hora. A cor índigo é uma mistura do violeta com o azul. Você não vai encontrar uma lâmpada que tenha luz nessa tonalidade, mas há outras maneiras para se obter a luz desejada. Pode-se colocar um tecido dessa cor cobrindo um abajur ou encontrar uma forma de envolver a luz do teto de tal maneira que produza essa tonalidade. Se for de dia, um tecido índigo pode cobrir a janela, como uma cortina. A cromoterapia com a cor que sugerimos pode ser feita por um terapeuta especializado, se for mais acessível.

A seguir ao banho de luz com a cor sugerida, faça a oração do PAI-NOSSO, repetindo-a sete vezes. Cada vez que disser o texto relativo ao sexto chakra — MAS LIVRAI-NOS DO MAL — mentalize, de olhos fechados, que há um raio de luz índigo incidindo sobre este centro de energia, cuja posição é entre as sobrancelhas.

Quem pratica ou aprecia ioga, pode fazer, após as preces, uma postura da ioga que melhora o sexto chakra. Sente-se com a coluna bem ereta. Esfregue as mãos uma na outra até aquecer as palmas. Coloque as mãos sobre os olhos, sem pressionar o globo ocular, impedindo toda a entrada de luz. É mais fácil não pressionar os olhos se formar uma concha com cada mão. Mantenha as mãos posicionadas assim e abra os olhos. Fique algum tempo, cerca de três a cinco minutos olhando para o escuro. Essa postura descansa a vista, melhora a capacidade visual e corrige pequenos distúrbios nos olhos. Entoe, ao terminar, o mantra OM, lentamente.

Repita diariamente o banho de luz índigo, a oração e o mantra, durante os dez dias em que estiver tomando o floral AGRIMONY. Ao terminar o tratamento sentirá que o seu sexto chakra está limpo e desbloqueado.

2º caso: quando o chakra está acelerado:

Nesse caso, o chakra apresenta concentração de energia. Isso acontece por diversos motivos, mas é principalmente por ler muito, ter pesadelos, resistir a mudanças. O centro *ajna* precisa ser desacelerado por meio de um tratamento que acalme os seus movimentos, depois do que retomará normalmente as suas funções.

Durante 10 dias tome o floral de Bach chamado WHITE CHESTNUT, que é preparado em farmácias de manipulação. Este floral promove suave e gradual desaceleração, ajudando o sexto chakra a retornar ao padrão energético ideal. WHITE CHESTNUT é o floral que acalma os pensamentos.

A dosagem do remédio floral varia de acordo com a intensidade da aceleração verificada. Para um estado de aceleração leve, deve-se tomar 3 gotas, 3 vezes ao dia. Para o caso de apresentar aceleração moderada, a dosagem é de 4 gotas, 4 vezes ao dia.

Para aceleração acentuada, o ideal é tomar 5 gotas do floral, 5 vezes ao dia.

Durante os dias em que estiver tomando o floral, fará também um tratamento de cromoterapia com a vibração índigo. Esse tratamento pode ser feito de modo bem simples. Fique deitado, exposto à luz dessa cor durante meia hora. A luz índigo tem a capacidade de desacelerar o sexto chakra. As lâmpadas índigo não são encontradas com facilidade, por isso a solução é usar um tecido dessa cor para cobrir uma lâmpada ou a janela. A cromoterapia com a luz indicada pode ser feita por um terapeuta especializado, se for mais conveniente.

A seguir ao banho de luz índigo, faça a oração do PAI-NOSSO, repetindo-a sete vezes. Cada vez que disser o texto relativo ao sexto chakra — MAS LIVRAI-NOS DO MAL — mentalize, de olhos fechados, um raio de luz da cor sugerida incidindo sobre este centro de energia, localizado entre as sobrancelhas.

Quem pratica ou aprecia ioga, pode fazer, ao terminar as orações, uma postura de ioga que ajuda a desacelerar o sexto chakra. Sentado, com a coluna ereta, olhos fechados, una os dedos polegar e indicador. As duas mãos ficam apoiadas nas coxas, com as palmas voltadas para cima. A pressão das pontas dos dedos deve ser constante, durante cerca de quinze minutos.

Se quiser, pode prolongar, porém não deve ultrapassar quarenta minutos. Quando terminar, entoe o mantra do sexto chakra, OM, lentamente.

Repita diariamente o banho de luz, a oração e o mantra, durante os dez dias em que estiver tomando o floral WHITE CHESTNUT. Ao terminar o tratamento sentirá que o seu sexto chakra se restabeleceu, voltando a movimentar-se adequadamente.

3º caso: quando o chakra está desacelerado:
Nesse caso, o chakra apresenta perda de energia, por você não ter feito uso das vibrações que lhe foram dirigidas. Talvez essa desaceleração seja porque você é muito negativo, não usa a intuição, desistiu de aprender ou acha que não vai mudar o mundo.

Quando o chakra *ajna* está desacelerado, precisa ser ativado por meio de um tratamento que acelere os seus movimentos, depois do que retomará normalmente as suas funções.

Durante 10 dias tome o floral de Bach chamado PINE, que é preparado em farmácias de manipulação. PINE promove suave e gradual aceleração, ajudando o sexto chakra a retornar ao padrão energético ideal. Este floral dá rapidez ao pensamento e refaz a nossa ligação com Deus.

A dosagem do remédio floral varia de acordo com a intensidade da desaceleração presente. Para um estado de desaceleração leve, deve-se tomar 3 gotas, 3 vezes ao dia. Para o caso de apresentar desaceleração moderada, a dosagem é de 4 gotas, 4 vezes ao dia. Para desaceleração acentuada, o ideal é tomar 5 gotas do floral, 5 vezes ao dia.

Durante os dias em que estiver tomando o floral, fará também um tratamento de cromoterapia com a vibração da cor índigo. Coloque no seu quarto luz dessa cor e fique deitado, exposto a essa luz durante meia hora. O índigo é uma tonalidade que atua muito positivamente no sexto chakra. Pode ser que não seja fácil encontrar uma lâmpada que tenha luz índigo, mas há outras maneiras para se obter luz dessa cor. Você pode colocar um tecido dessa tonalidade cobrindo um abajur ou encontrar uma forma de envolver a luz do teto de tal maneira que produza essa cor. Se for de dia, um tecido índigo pode cobrir a janela, como uma cortina. A cromoterapia com a cor que sugerimos pode ser feita por um terapeuta especializado, se for mais conveniente.

A seguir ao banho de luz indicado, faça a oração do PAI-NOSSO, repetindo-a sete vezes. Cada vez que disser o texto relativo ao sexto chakra — MAS LIVRAI-NOS DO MAL — mentalize, de olhos fechados, que há um raio de luz índigo, bem forte, incidindo sobre o centro de energia que fica na testa, entre as sobrancelhas.

Quem pratica ou aprecia ioga, pode fazer uma postura de ioga que estimula o sexto chakra. Sente-se no chão, de joelhos, com os pés tocando-se e servindo de base de apoio para se sentar, enquanto os joelhos são mantidos bem separados. Feche os olhos e respire tranquilamente. Ainda de olhos fechados, toque com a língua o céu da boca e deslize a língua até alcançar o véu palatino, que é a parte mole do céu da boca, onde está localizada a glândula pituitária. Pressione um pouco com a língua esse ponto. Este toque indireto estimula a glândula e ativa as suas funções, o que também estimula o sexto chakra.

Esta postura tem muitos benefícios para o corpo físico e para o corpo espiritual. Ao terminar o exercício, entoe o mantra OM, lentamente.

Repita diariamente o banho de luz índigo, a oração e o mantra, durante os dez dias em que estiver tomando o floral PINE. Ao terminar o tratamento sentirá que o seu sexto chakra se restabeleceu, voltando a movimentar-se adequadamente.

4º caso: quando há reflexos físicos:

Os problemas físicos aparecem quando o chakra fica desordenado durante muito tempo. Eles também podem surgir quando se estabelece uma situação crônica de desordem, por sucessivas atitudes de agressão ao centro de energia.

Para tratar os sintomas físicos, você deve procurar um médico, pois apenas ele poderá dizer com precisão qual o tratamento para cada caso.

No entanto, pode-se fazer uma avaliação pelo pequeno teste que está neste capítulo, para ter noção do estado do chakra, verificando se ele está bloqueado, acelerado ou desacelerado. A partir dessa constatação, não há nenhum problema em seguir as indicações relativas ao tratamento do chakra. O tratamento com florais, luz e prece pode acompanhar os procedimentos médicos sem que haja interferência. Na verdade, as energias da luz, prece e florais costumam reforçar a ação dos remédios e de outros procedimentos médicos.

MEDITAÇÃO PARA O SEXTO CHAKRA:

Na luz do Senhor, Ajna é estimulado. A minha ligação com Deus é um desejo profundo, que vem da minha alma. Refaço essa ligação por vontade consciente. Que ela aconteça com o amparo do Pai, do Filho e da Mãe. A luz índigo do entendimento é o presente que recebo. No meu ser, o mal cede lugar ao bem, a cegueira é transformada em visão ilimitada, a dispersão mental torna-se concentração e a restrição dos sentidos é afastada pela intuição. Na luz permaneço por graça e desejo do Pai. O Triângulo Místico vem a mim no veículo etéreo da vibração divina.

EXPERIÊNCIAS QUE EXPANDEM O SEXTO CHAKRA:

- Usar durante uma hora uma venda sobre os olhos e andar como cego.
- Massagear o ponto entre as sobrancelhas com óleo perfumado.
- Fechar os olhos e tentar intuir quem acabou de entrar na sala.

Como Alinhar os Chakras com o Pai-Nosso

A oração do Pai-Nosso, como todas as preces poderosas, foi dada à humanidade com múltiplos propósitos. Ela contém sete afirmações, que agem em sete níveis de vibração distintos.

Para a finalidade deste trabalho, que visa mudar a condição dos chakras, vamos mostrar como direcionar a energia da prece do Pai-Nosso para dois níveis de influência (o material e o sutil), permitindo que as suas vibrações ajudem a recompor o corpo físico e o corpo espiritual.

Você pode achar que é muito simples o que vamos indicar ou que algo tão fácil de fazer não dá resultado, mas saiba que sistemas complicados atendem a interesses de pessoas que não têm fé. Você tem fé e acredita no poder de Cristo. Ele disse que tudo o que Ele fez, qualquer um poderia fazer. E agora você vai usar a prece que Ele nos deu para mudar as suas vibrações.

A oração do Pai-Nosso promove o alinhamento dos chakras pelas palavras porque há nos sons um poder criador fantástico, poder esse que pode ser direcionado para muitas aplicações. Ao voltar o poder das palavras da prece do Pai-Nosso para um objetivo superior, damos a essa oração um uso muito pouco explorado.

Os chakras formam um sistema que só atua quando está perfeitamente unido. Os chakras, estudamos todos, são centros de energia e podem sofrer alterações vibracionais. Quando um deles se desordena, pouco tempo depois os chakras adjacentes refletem alterações, em virtude da desarmonia vizinha.

Podemos tratar o chakra que está em desarmonia e melhorar o estado dos chakras afetados por ele, mas nem sempre o sistema fica bem ajustado.

Alinhar os chakras é dar ao sistema energético condições perfeitas, permitindo que o sistema retome a condição de harmonia original.

O roteiro para alinhamento de chakras que vamos descrever deve ser repetido diariamente, durante uma semana. Algumas pessoas sentem-se tão bem que prolongam o período, chegando a fazer quarenta e nove dias, que é um número significativo, pois contém sete vezes o sete.

Esse roteiro tem duas versões porque há duas possibilidades. A primeira versão é para quem vai realizar o alinhamento em si mesmo. A segunda versão é para quem vai fazer o alinhamento para outra pessoa.

ALINHAMENTO DOS CHAKRAS:
QUANDO O FAZ PARA SI MESMO

A atividade de alinhamento dos chakras em si mesmo é feita na posição deitada, sendo preferível deitar-se com a cabeça voltada para o Norte.

A roupa usada pode ser qualquer uma, mas não deve ser apertada, para que não interfira no fluxo energético. A cintura deve estar livre, sem elástico ou cintos. Os pés podem ficar descalços. Na cabeça evite adornos, cabelo preso com elásticos ou fivelas. Não se deve usar óculos, colares ou correntes no pescoço.

A preparação para alinhar os chakras consiste em gravar em cassete o texto que está adiante. Observe as pausas indicadas ao fazer a gravação.

Com o texto gravado, coloque-o para tocar e deite-se. Desse ponto em diante, basta seguir o que está indicado no texto.

Texto para gravação:

Neste instante, com a graça de Deus e com a luz de meu Mestre Jesus Cristo, dou início à cura da minha alma e do meu corpo.

(pausa)

> PAI NOSSO QUE ESTAIS NOS CÉUS, SANTIFICADO SEJA O VOSSO NOME.
> VENHA A NÓS O VOSSO REINO.
> SEJA FEITA A VOSSA VONTADE, ASSIM NA TERRA COMO NO CÉU.
> O PÃO NOSSO DE CADA DIA NOS DAI HOJE.
> PERDOAI-NOS AS NOSSAS OFENSAS,
> ASSIM COMO NÓS PERDOAMOS A QUEM NOS TEM OFENDIDO.
> E NÃO NOS DEIXEIS CAIR EM TENTAÇÃO.
> MAS LIVRAI-NOS DO MAL.

(pausa)

Una as palmas das mãos e esfregue uma na outra, até sentir que estão aquecidas.

(pausa)

Em seguida, coloque a mão que usa para escrever voltada para o topo da sua cabeça (o sétimo chakra), mas sem tocá-la. A outra mão deve repousar ao lado do corpo. Faça três respirações profundas.

(pausa)

Diga em voz alta: Pai Nosso que estais nos céus, santificado seja o Vosso nome!

(pausa)

Agora coloque a sua mão sobre a pélvis (primeiro chakra), mas sem tocá-la. Faça três respirações.
(pausa)
Diga em voz alta: Venha a nós o Vosso reino!
(pausa)
Coloque a mão sobre a barriga, à altura do umbigo (segundo chakra), agora pode tocar o corpo. Respire três vezes, bem profundamente.
(pausa)
Diga em voz alta: Seja feita a Vossa vontade, assim na terra como no céu!
(pausa)
Mova a mão para a região do estômago (terceiro chakra), deixe repousar ali, faça três respirações profundas.
(pausa)
Diga em voz alta: O pão nosso de cada dia nos dai hoje!
(pausa)
Agora coloque a mão apoiada sobre o peito (quarto chakra), inspire e expire calmamente, três vezes.
(pausa)
Diga em voz alta: Perdoai-nos as nossas ofensas, assim como nós perdoamos a quem nos tem ofendido!
(pausa)
Posicione a mão na base da garganta (quinto chakra), faça três respirações profundas.
(pausa)
Diga em voz alta: E não nos deixeis cair em tentação!
(pausa)
Mova a mão para a testa (sexto chakra), respire profundamente, três vezes.
(pausa)
Diga em voz alta: Mas livrai-nos do mal!
(pausa)

Senhor, por Vossa obra o meu corpo é perfeito!
Senhor, por Vossa obra a minha alma está em harmonia!
Obrigado (a)!

ALINHAMENTO DOS CHAKRAS: QUANDO O FAZ PARA OUTRA PESSOA

A atividade de alinhamento dos chakras pode ser realizada para outra pessoa. Nem todos têm motivação para realizar o alinhamento de chakras por si, algumas pessoas precisam ser ajudadas. Dar essa colaboração é um ato de compaixão por um irmão. Ao fazer o alinhamento dos chakras para alguém, a pessoa sente-se amparada e estimulada a orar.

É mais fácil fazer isso se a pessoa estiver na posição deitada, sendo preferível deitá-la com a cabeça voltada para o Norte. No caso de optar por fazer na posição sentada ou de pé, deverá ficar de costas para o Norte.

A roupa usada pode ser qualquer uma, mas não deve ser justa, para não interferir no fluxo energético. A cintura fica livre, sem elástico ou cintos apertados. Os pés podem ficar descalços. Quem usa óculos, deve retirá-los. Na cabeça, não deixar enfeites, nem cabelo preso com elásticos ou fivelas. Também não usar colar ou corrente no pescoço.

Você ficará do lado direito da pessoa e a mão com a qual escreve será sobreposta aos chakras. A sobreposição da mão não deve em nenhum momento tocar o corpo de quem está fazendo o alinhamento dos chakras.

Comece dizendo em voz alta: Neste instante, com a graça de Deus e com a luz de meu Mestre Jesus Cristo, dou início à cura da sua alma e do seu corpo.

(pausa)

PAI NOSSO QUE ESTAIS NOS CÉUS,
SANTIFICADO SEJA O VOSSO NOME.

VENHA A NÓS O VOSSO REINO.
SEJA FEITA A VOSSA VONTADE,
 ASSIM NA TERRA COMO NO CÉU.
O PÃO NOSSO DE CADA DIA NOS DAI HOJE.
PERDOAI-NOS AS NOSSAS OFENSAS,
ASSIM COMO NÓS PERDOAMOS A QUEM NOS TEM OFENDIDO.
E NÃO NOS DEIXEIS CAIR EM TENTAÇÃO.
MAS LIVRAI-NOS DO MAL.
(pausa)

Una as palmas das mãos e esfregue uma na outra, até sentir calor. Sobreponha a mão que usa para escrever acima da cabeça da pessoa, com a palma voltada para o topo da cabeça (o sétimo chakra), mas sem tocá-la. A sua outra mão deve repousar ao lado do corpo. Faça três respirações profundas.
(pausa)
Diga em voz alta: Pai Nosso que estais nos céus, santificado seja o Vosso nome!
(pausa)
Agora coloque a sua mão sobre os pés da pessoa (primeiro chakra), mas sem tocá-los. Faça três respirações.
(pausa)
Diga em voz alta: Venha a nós o Vosso reino!
(pausa)
Sobreponha a mão sobre a barriga, na altura do umbigo (segundo chakra), sem tocar a pessoa. Respire três vezes, bem profundamente.
(pausa)
Diga em voz alta: Seja feita a Vossa vontade, assim na terra como no céu!
(pausa)

Mova a mão para a região do estômago (terceiro chakra), deixe-a repousar ali, sem tocar fisicamente o corpo da pessoa. Faça três respirações profundas.
(pausa)
Diga em voz alta: O pão nosso de cada dia nos dai hoje!
(pausa)
Agora coloque a mão sobreposta ao peito (quarto chakra), inspire e expire calmamente, três vezes.
(pausa)
Diga em voz alta: Perdoai-nos as nossas ofensas, assim como nós perdoamos a quem nos tem ofendido!
(pausa)
Posicione a mão na base da garganta (quinto chakra), sem tocá-la. Faça três respirações profundas.
(pausa)
Diga em voz alta: E não nos deixeis cair em tentação!
(pausa)
Mova a mão para sobrepô-la à testa (sexto chakra). Respire profundamente, três vezes.
(pausa)
Diga em voz alta: Mas livrai-nos do mal!
(pausa)
Para encerrar, peça que a pessoa repita com você:
Senhor, por Vossa obra o meu corpo é perfeito!
Senhor, por Vossa obra a minha alma está em harmonia!
Obrigado(a)!

Anexo I
Desenhos

postura de diamante – 7º chakra

prece de pé – 7º chakra

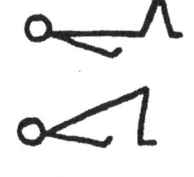

elevar braços e pés – 1º chakra

agachar – 1º chakra

postura da cobra – 2º chakra

erguer quadril – 2º chakra

postura da pinça – 3º chakra

postura do peixe – 4º chakra

ioga mudra – 4º chakra

postura da árvore – 4º chakra

A Espiral Mística

Anexo II
Resumos

RESUMO — SÉTIMO CHAKRA:
Nomes: Sahasrara ou Brahmarandra, chakra da coroa, coronário.
Localização: no alto da cabeça.
Glândula: pineal (epífise).
Funções: distribuir a energia divina para os outros chakras, ligar a alma a Deus, ajudar na comunicação com o plano espiritual, facilitar o uso das faculdades mediúnicas, fazer contato com Mestres de Luz, transmutar energias negativas em vibrações positivas, tornar as preces poderosas, ajudar a consciência a iluminar-se, permitir o acesso às capacidades espirituais adquiridas em outras vidas.

O que torna o chakra desordenado:
1. **Bloqueio:** ausência de fé, fanatismo religioso, dogmatismo, exercícios espirituais muito perigosos, seguir guia espiritual dominador.
2. **Acelera:** práticas espirituais em excesso, não usar energia espiritual acumulada, fantasias espirituais.
3. **Desacelera:** controlar a expressão positiva dos dons espirituais, autopiedade, falta de ligação com seres iluminados.

Reflexos do chakra desordenado no corpo físico: desordens no sistema imunológico, dores de cabeça constantes, problemas no sistema nervoso, dores ou doenças nos ossos.

Como recuperar as funções do chakra:
1. Se está bloqueado
   FLORAL: Willow
   COR: índigo
   MANTRA: om
   IOGA: corpo na postura do diamante
2. Se está acelerado
   FLORAL: Cherry Plum
   COR: branca
   MANTRA: om
   IOGA: mãos na postura de oração
3. Se está desacelerado
   FLORAL: Water Violet
   COR: violeta
   MANTRA: om
   IOGA: prece de pé
4. Se há reflexos físicos relacionados com a desordem do chakra: procurar médico, mas seguir com cromoterapia, florais e prece.

RESUMO — PRIMEIRO CHAKRA:
Nomes: Muladhara, chakra da base, básico, raiz, fundamental, kundalíneo.
Localização: no períneo (entre o ânus e os genitais); quando a pessoa está de pé, fica na planta dos pés; sentada, fica na base da coluna.
Glândula: suprarrenais

Funções: regula o fluxo de energias recebidas do Sol e da Terra, regula a energia que se usa nas atividades, regula a carga energética que a pessoa distribui, dá gosto pela vida material, ajuda a preservar o corpo físico, ativa os outros chakras, dá vitalidade, estimula a criação de raízes, ensina o uso correto do dinheiro, ajuda a fazer escolhas corretas, dá correta noção de tempo e espaço, ajuda a aceitar a encarnação.

O que torna o chakra desordenado:
1. **Bloqueio:** violência, explosão de nervos, arriscar a vida, falta de conexão com a terra, descuidar do corpo físico.
2. **Acelera:** impaciência, irritação, comer em excesso, busca excessiva de prazeres, egoísmo.
3. **Desacelera:** desprendimento, dificuldades materiais, problemas familiares, desemprego.

Reflexos do chakra desordenado no corpo físico: obesidade, bulimia, anorexia, problemas musculares e nos tendões, reumatismo, artrite, dores ciáticas, pernas e pés, hemorroidas, constipação, problemas para eliminar urina e fezes, dores ou doenças nas extremidades dos ossos, problemas nos rins e no reto, distúrbios relacionados com as glândulas suprarrenais (diabetes, doença de Addison, de Cushing).

Como recuperar as funções do chakra:
1. Se está bloqueado
   FLORAL: Hornbeam
   COR: verde-azulado
   MANTRA: lam
   IOGA: unir polegar e anular, fazer pressão por 15 minutos
2. Se está acelerado
   FLORAL: Clematis
   COR: azul

MANTRA: lam
IOGA: ficar na ponta dos pés, elevar braços
3. Se está desacelerado
FLORAL: Larch
COR: rosa-forte
MANTRA: lam
IOGA: agachar
4. Se há reflexos físicos relacionados com a desordem do chakra: procurar médico, mas seguir com cromoterapia, florais e prece.

RESUMO — SEGUNDO CHAKRA:
Nomes: Suadisthana, chakra do sacro, sacral, umbilical.
Localização: região logo abaixo do umbigo.
Glândula: gônadas.
Funções: reprodução, distribuição e coordenação de energias, magnetismo, eliminação de impurezas, acolhimento, maternalismo, mudanças, sensibilidade mediúnica.

O que torna o chakra desordenado:
1. **Bloqueio:** pouca flexibilidade, indiferença, sufocar emoções, energia sexual mal orientada, histeria.
2. **Acelera:** competição, sedução, manipulação.
3. **Desacelera:** insegurança, beber pouca água, falta de socialização, negação de prazeres.

Reflexos do chakra desordenado no corpo físico: problemas nos ovários, próstata, útero, seios, candidíase, colite, apendicite, diverticulite, fertilidade.

Como recuperar as funções do chakra:
1. Se está bloqueado
FLORAL: Walnut
COR: verde

MANTRA: vam
IOGA: postura da cobra
2. Se está acelerado
FLORAL: Cerato
COR: azul
MANTRA: vam
IOGA: 1. deitar de costas, erguer quadril
2. de pé, girar quadris
3. Se está desacelerado
FLORAL: Chicory
COR: laranja
MANTRA: vam
IOGA: polegar direito pressiona polegar esquerdo
4. Se há reflexos físicos relacionados com a desordem do chakra: procurar médico, mas seguir com cromoterapia, florais e prece.

RESUMO — TERCEIRO CHAKRA:

Nomes: Manipura, esplênico, diafragmático, plexo solar.
Localização: na região do estômago.
Glândulas: pâncreas e baço.
Funções: distribuir e purificar as energias que nutrem o corpo físico, ajuste de nutrientes, expulsão de energias negativas, absorção de vibrações corretivas, aceitação, capacidade de respeitar o seu espaço, aprender a dizer não.

O que torna o chakra desordenado:
   1. **Bloqueio:** álcool e drogas, ira, gula, orgulho, inveja, não cooperação.
   2. **Acelera:** alegria, *ego* exaltado, vaidade, situação em que precisa defender-se, absorção de muito prana.
   3. **Desacelera:** submissão, intimidação, rejeição, falta de sol e luz.

Reflexos do chakra desordenado no corpo físico: doenças do fígado e rins, úlcera e gastrite, problemas no pâncreas e baço, má digestão.

Como recuperar as funções do chakra:
1. Se está bloqueado
   FLORAL: Crab Apple
   COR: azul
   MANTRA: ram
   IOGA: polegar pressiona mínimo
2. Se está acelerado
   FLORAL: Gentian
   COR: verde
   MANTRA: ram
   IOGA: cruzar as mãos sobre o estômago
3. Se está desacelerado
   FLORAL: Rock Rose
   COR: amarelo
   MANTRA: ram
   IOGA: pinça
4. Se há reflexos físicos relacionados com a desordem do chakra: procurar médico, mas seguir com cromoterapia, florais e prece.

RESUMO — QUARTO CHAKRA:
Nomes: Anahata, chakra do coração, chakra cardíaco.
Localização: no meio do peito.
Glândula: timo
Funções: ensinar o perdão, unir as forças dos chakras superiores e inferiores, irradiar amor, tornar a energia física uma força que mude o mundo material, integração e encontro entre todas as

pessoas, capacidade de sintonizar o amor divino, abrir o coração para receber Cristo, eliminar a falta de propósito da vida.

O que torna o chakra desordenado:
1. **Bloqueio:** ódio, rancor, intolerância, julgamento, tentativa de suicídio, trabalhar com tarefa que não suporta.
2. **Acelera:** amor duplo, muitos toques físicos, felicidade egoísta, não conceder perdão, vingança.
3. **Desacelera:** solidão, falta de propósito, preguiça.

Reflexos do chakra desordenado no corpo físico: problemas no coração, pulmões, braços, mãos, costelas e ombros.

Como recuperar as funções do chakra:
1. Se está bloqueado
   FLORAL: Holly
   COR: verde
   MANTRA: yam
   IOGA: postura do peixe
2. Se está acelerado
   FLORAL: Beech
   COR: azul
   MANTRA: yam
   IOGA: ioga mudra
2. Se está desacelerado
   FLORAL: Wild Oat
   COR: rosa claro
   MANTRA: yam
   IOGA: postura da árvore
4. Se há reflexos físicos relacionados com a desordem do chakra. procurar médico, mas seguir com cromoterapia, florais e prece.

RESUMO — QUINTO CHAKRA:
Nomes: Visudha, chakra laríngeo ou chakra da garganta.
Localização: na garganta.
Glândulas: tireoide e paratireoide.
Funções: comunicação, decisão, materializa as ideias em sons, ensina responsabilidade, purificação, criatividade, cria campos de vibração, assimilação de energias defensivas.

O que torna o chakra desordenado:
1. **Bloqueio:** não ouvir os outros, não se gostar, dominar outras pessoas, ceder à tentação, usar más palavras, discutir.
2. **Acelera:** excesso de informações, muitas responsabilidades, falar demais, palavras confusas.
3. **Desacelera:** não fazer escolhas, adiar a tomada de decisões, não guardar segredo, mexericos, não usar a criatividade.

Reflexos do chakra desordenado no corpo físico: problemas na garganta e ouvidos, resfriados, alergias, doenças na língua, tireoide, cordas vocais, boca.

Como recuperar as funções do chakra:
1. Se está bloqueado
   FLORAL: Chestnut Bud
   COR: azul
   MANTRA: ham
   IOGA: unir dedo polegar e dedo médio
2. Se está acelerado
   FLORAL: Scleranthus
   COR: verde
   MANTRA: ham
   IOGA: engolir em seco
3. Se está desacelerado
   FLORAL: Heather
   COR: laranja

MANTRA: ham
IOGA: língua no palato, mantra HAAAAAAAAMMM
4. Se há reflexos físicos relacionados com a desordem do chakra: procurar médico, mas seguir com cromoterapia, florais e prece.

RESUMO — SEXTO CHAKRA:
Nomes: Ajna, chakra frontal, chakra da fronte ou da testa, terceiro olho.
Localização: na testa, entre as sobrancelhas.
Glândula: pituitária ou hipófise.
Funções: visão interior, mediunidade desenvolvida, visualização, clarividência e visão estendida, poucos limites espirituais, consciência crística, antecipação, concentração, inspiração.

O que torna o chakra desordenado:
1. **Bloqueio:** ilusões espirituais, obsessão espiritual, viver só no plano mental, fazer do mal sua opção, fornecer desculpas a si mesmo.
2. **Acelera:** resistir a mudanças, sonhos agitados, muitas leituras e estudos, querer mudar o mundo.
3. **Desacelera:** perder o ideal, fugir da espiritualidade, não usar mediunidade, não usar intuição, deixar de aprender.

Reflexos do chakra desordenado no corpo físico: doenças nos olhos e nariz, sinusite, bruxismo, úlcera estomacal por preocupações, eczemas, nódulos, gânglios, tumor cerebral, disfunções neurológicas, cegueira.

Como recuperar as funções do chakra:
1. Se está bloqueado
   FLORAL: Agrimony
   COR: índigo

MANTRA: om
IOGA: cobrir os olhos com as mãos e abri-los
2. Se está acelerado
FLORAL: White Chestnut
COR: índigo
MANTRA: om
IOGA: pressionar polegar e indicador
3. Se está desacelerado
FLORAL: Pine
COR: índigo
MANTRA: om
IOGA: tocar com a ponta da língua o véu palatino
4. Se há reflexos físicos relacionados com a desordem do chakra: procurar médico, mas seguir com cromoterapia, florais e prece.

Bibliografia

1. RAMM-BONWITT, Ingrid, *Mudras: as mãos como símbolo do Cosmo*, 1ª ed., Editora Pensamento, São Paulo, SP, 1991.
2. HERMÓGENES, *Autoperfeição com Hatha Yoga*, 10ª ed., Distribuidora Record, Rio de Janeiro, RJ, 1972.
3. MONARI, Carmem, *Participando da vida com os florais de Bach*, 1ª ed., Editora Roca, São Paulo, SP, 1995.
4. HELINE, Corinne, *Occult Anatomy and the Bible*, 6ª ed., New Age Bible and Philosophy Center, Santa Monica, CA, 1991.
5. FERNANDES, Nilda, *Yoga Terapia*, 2ª ed., Editora Ground, São Paulo, SP, 1994.

Impresso por :

gráfica e editora

Tel.:11 2769-9056